逝《せい》年《ねん》

石田衣良

集英社文庫

逝年

せいねん

プロローグ

花が枯れていく。

その過程をゆっくりと間近に見つめたことはあるだろうか。日々花の美しさは、磨《す》り減っていく。やわらかだった花びらがしおれ、茶色の染《し》みが浮き、かさかさに乾いていくのだ。空をさしていた花芯はうなだれ、先を丸めてしまう。

死は花が枯れるのに、よく似ている。それが、ぼくにはよくわかった。花の美しさが消えていくように、死はその人をその人らしくしていた命の力を、すこしずつ奪っていくのだ。それは決して反転させることができない絶対的な変化である。

ぼくは十一年まえに母を亡くした。そのときはあまりに急だったので、死をきちんと受けとめることはできなかった。小学校四年生で、母の緊急搬送と葬儀と不在の嵐に巻きこまれたのだ。

けれども、今回は違っていた。

彼女はぼくの娼夫としての才能を見抜き、影の世界に誘ってくれた恩人だった。女性がもつ欲望の多彩さと不思議さを教えてくれた人だった。ぼくがこの仕事で腕をあげ、同時により深く目覚めて世界を見るように手助けしてくれた女性だった。成人してから出会った二番目の母だったのである。

その人がゆっくりと生の世界を離れ、死に近づいていく。それを数カ月にもわたり、手の届く距離で見つめていたのだ。ぼくは死の秘密を見つけた。それはとても単純なことだった。死は恐るべきものではなく、ぼくたちのすぐそばにあるとても親しいものだ。音もなく降る春の雨の最初のひと滴《しずく》や眠っている頬に滑る愛《いと》しい人の指先のように、優しくよろこばしく、人の心をそっと慰めてくれるものなのだ。

彼女の「死」をともに生きたことで、ぼくは以前よりもずっと強くなった。別に急ぐつもりはないけれど、いつかそのときがきても、久しぶりに会う友人のように死を迎えられると思う(これはたまたま現在を生きている人間の傲慢《ごうまん》さなのかもしれないが)。

それもすべて彼女の影響である。ぼくたちの白い部屋には、彼女のための場所があり、真っ白な壺《つぼ》のなかで彼女の白い骨は今も眠っている。その骨を笑いながら拾ったのは、ぼくと彼女の娘とぼくの同僚だ。

　彼女の骨は、とても白く、軽く、乾いていて、ひどく強かった。

　人の骨ほど清潔なものはない。

1

「やっぱり、ここの部屋にしてよかったね」

平戸東《ひらとあずま》がアルミサッシの窓辺に立って、レースのカーテン越しに外を眺めていた。代官山の街並みは、都心でもかなり緑が多い。アズマはこの白い部屋にあわせて上下オフホワイトで決めていた。白い麻のカプリシャツはへそのすぐうえまで前立《まえだて》が開き、パンツは裾から腰骨までファスナーがついた白の軍パンだ。

肩をつつかれて、振りむくと御堂咲良《みどうさくら》がちいさなホワイトボードをあげた。

［ソファの位置を直すから手伝って］

咲良は生まれつき耳がきこえず、口がきけなかった。インテリアショップのトラックは、コンテナいっぱいの家具を搬入して、先ほど帰ったばかりだ。ぼくは咲良といっしょに三人がけの真っ白な革のソファを動かした。ソファにカウチにオットマン。すべて同じデザイナーの作品で、イタリア製。合計で軽く二百万円は超えている。だが、事務所のインテリアには手を抜かないというのは、このクラブの不在の主、御堂静香《しずか》の教えだ。

フルオープンになるジャロジー式のサッシにむけて、ソファセットを整えた。窓辺に観葉植物をおいたほうがいいかもしれない。この部屋は中層マンションのペントハウスである。以前はプロのカメラマンがスタジオとして使用していたという。床は白いタイル、壁と天井も白。わずかに青く見えるほどの純白だ。斜めに切られた天窓からは、自然光がたくさん降ってくる。リビングの広さは三十畳ほどあるだろうか。

ぼくたちのクラブの再出発には、ぴったりの場所だった。


御堂静香の逮捕から一年がたっていた。

ぼくたちはそのあいだ、息を殺し日常生活を送っていた。「ル・クラブ・パッション」は空中分解したのだ。オーナーの御堂静香は、八王子にある医療刑務所へ。クラブのナンバーワンだったアズマは、ためこんだ報酬で遊び暮らしていた。静香の娘の咲良はちいさなマンションに移り、ひとり暮らしを始めた。ぼくは大学にもどり、卒業のための単位をせっせと積みあげた。

けれども、ぼくたち三人の心は決まっていた。いつか、あの伝説のクラブを復活させるのだ。待機していた一年間にぼくたちは何度も打ちあわせを重ねた。三人で旅行をしたこともある（軽井沢、バリ、ミラノ、パリ）。

もちろん、恐怖はいつも存在した。ぼくは何度も悪夢を見た。警察官が明け方に部屋の扉をノックする夢だ。何度も自分が逮捕されるのではないかと感じることはあったけれど、ぼくの決意は揺らがなかった。それはアズマや咲良も同じだったと思う。ただ身体を売るだけではない。もっとおおきななにかを、ぼくたちはクラブの仕事のなかに見つけていたのだ。

再建の資金は御堂静香がつくっていた裏の銀行預金にたっぷりと眠っていた。彼女は取調べで決して、「クラブ・パッション」の秘密を漏らさなかった。コンピュータのなかの顧客名簿はすぐに消去できるようにトラップがかけられていたし、ほんとうに大切なＶＩＰ客については咲良の頭のなかが帳簿になっていた。それは資金の流れも同じで、未成年で客をとっていたわけでもない咲良には、警察の手はおよばなかったのである。たとえ、取調べを受けたとしても、咲良は微笑を浮かべたままのりきったことだろう。

沈黙は彼女を守る砦《とりで》だ。

ぼくたちは新しい事務所で、初めてのお茶の時間にした。

紅茶をいれたのは咲良である。ガラスのセンターテーブルには、ガラスのカップ＆ソーサーがならんだ。薫り高い枯葉色の液体だけが宙に浮かんでいるように見える。

「さて、どうやって仕事始めようか」

アズマは無邪気にレモンを絞った紅茶を口に運んだ。外見にだまされてはいけない。この年若い娼夫になにができるのか。それを一年以上まえにぼくは身をもって体験していた。どの世界にも天才はいる。

昼を読んだ咲良が笑ってうなずき、テーブルに数枚のコピー用紙をのせる。アズマがいった。

「これが黄金のチケットっていうわけか。宝くじのあたり券より価値があるんだものね」

ぼくはそのうちの一枚を手にとった。常連客のアドレスと電話番号が、咲良の流れるような文字でびっしりと書かれている。

「営業を再開するのは、簡単だな」

咲良はうなずき、アズマは笑った。

「ほんと。『クラブ・パッション』のダントツのナンバーワンとツーがそろってるんだもん」

ぼくとアズマは毎週のように順位を替えながら、クラブの柱として指名を競っていた。ぼくにはアズマのような特殊技能はなかったけれど。

「それが問題なんだ」

「どうしてさ」

咲良が真剣な顔で、手話をつかった。

「すぐにパンクしちゃう」

うなずいて、ぼくはいった。

「そうだ。あのクラブにはでたりはいったりはあったけれど、常時二十人くらいの娼夫が在籍していた。ぼくとアズマだけじゃ、すぐにお客の注文を断らなくちゃいけなくなる。それが三回も続いたら、女性たちはどうすると思う」

白い革ソファのうえで白い服を着て、アズマは優雅に肩をすくめた。

「ほかのクラブに電話する」

「そうだ。ぼくたちにはもっと戦力が必要だ」

さらさらの髪に手をやって、アズマがいった。

「それなら、リョウさんがスカウトしてよ。ぼくはそういうの苦手だから」

「わかってるよ」

咲良が心配そうな表情で見つめてきた。彼女の手を軽く二度ほどたたいてやる。それはだいじょうぶというサインだった。ぼくは咲良に唇が読みやすいように、ゆっくりといった。

「ぼくは静香さんの一番重要な仕事は、新人の発掘だったと思う。その点では、こちらの業界でも有名だったらしいしね。お客になる女性の目で魅力的な男の子を選んで、きちんと声をかけ、こちらの世界に連れてくることができた。もちろん、厳しい試験もあったけれど」

そこで咲良が頬を赤くした。ぼくの最終試験は咲良とのセックスだったからだ。

「ぼくもそう思うよ。なんといっても、リョウさんやぼくをスカウトしたの、静香さんだから。でも、よかったな」

咲良は首をかしげて、なぜという顔をした。

「だからさ、リョウさんを最後にクラブにいれてから、静香さんがああいうことになったでしょう。ぼくと咲良さんだけだったら、とてもクラブの再開なんてできないよ。ぼくはお客以外の対人関係が苦手だし、咲良さんには障害がある。静香さんが見こんだとおりだったんだ。リョウさんがこのクラブの新しい代表にならなくちゃいけない。それも自分でもお客をとるプレイングマネージャーにならないとね」

めずらしくアズマが長い台詞《せりふ》を口にした。咲良はうなずいて、マーカーのキャップをとった。

「でも、新人の心あたりなんて、あるの」

「ぜんぜんないよ。どういう人間が娼夫にむいているかなんて、まるでわからないし」

アズマが声をあげて笑った。

「それはさ、鏡を見ればわかるよ。ぼくみたいな変態の客を相手にしないで、不特定多数に人気がでるのは、リョウさんみたいなタイプだ」

「それが、すぐにわかるなら苦労はないよ。わからないのはいつだって自分のタイプだ」

咲良はさらさらとホワイトボードをつかう。

［困ったら、いつでもわたしを試験につかってね］

黒いマーカーはとまらなかった。まえの文字を消してから、また書き続ける。

［わたし以外に女性の目がないから、ちゃんと協力します］

「ありがとう」

ぼくはそういって、咲良の手の甲を二度タップした。

短い夏がすぐに秋に衣替えした九月の終わり。ぼくたちの新しい「クラブ・パッション」は三台の飛ばしの携帯電話で営業を再開した。ぼくの書いたメールの文面はこうだ。

永らく、お待たせしました。

新しい Le Club Passion が
この秋、スタートを切ります。
再開から、しばらくのあいだは
ごく限られたお客さまへの
ご案内になります。
特別なサービスと特別な料金で、
ご予約をお待ちしています。
もう一度、あなたの情熱の顔を
ぼくたちに見せてください。

あとはアドレスと電話番号をいれておしまいだ。この文章を読んだアズマはおお笑いした。「情熱の顔」なんてうますぎる、ひどい商売人だというのだ。咲良は逆にとてもいいと、熱烈な手話で支持してくれた。

このメールを三人で手分けして、六十人の女性に送った。ひとつの携帯電話で二十人ずつ。間違いのないようにていねいに作業をおこなっても、一時間ほどで終了してしまう。アズマが携帯を閉じるといった。

「ねえ、代官山の駅の近くで、うまそうなパスタ屋を見つけたんだ。遅いお昼をみんなでたべにいかない」

咲良は勢いよくうなずき、ぼくはいった。

「じゃあ、お昼にしよう。いつ予約がはいるかわからないから、みんな携帯を忘れないように」


ぼくたちがむかったのは代官山アドレスのむかいにあるイタリアンだった。時間が遅かったので、近くのオフィスのランチピープルはすでに姿を消していた。広い店内には数組の客がいるだけだ。

細い腰を黒のエプロンで締めあげた若いウエイターがやってくる。アズマはぼくの肩をつついていった。

「ねえ、ああいう男の子をスカウトすればいいんじゃない」

ぼくはウエイターを見た。茶髪は悪くないが、髪型が今ひとつだった。よく見ると襟足《えりあし》がきれいではない。

「いらっしゃいませ。ご注文がお決まりになりましたら、お呼びください」

定型の文句にも投げやりな印象があった。メニューをテーブルにおく手を観察した。かさかさに乾燥して、爪の先に清潔感がない。ぼくはいった。

「どうもありがとう」

ウエイターは無表情なままいってしまう。咲良の手が厳しいことをいった。

「今の人はダメ。やっぱりアズマくんにはセンスないな」

「ぼくも彼はダメだと思う。だけど、人間てすごいね。自分でスカウトをやろうと思ったら、人を見る目がまったく変わってしまった。だいたい男の指先とか襟足なんて、よく見たことなかったよ」

ぼくはメニューを開きながら、売れっ子アズマの白いシャツの襟足を見た。やはり魅力的な男の襟足は、魅力的なのである。

「さあ、注文を決めよう」

それからにぎやかな時間になった。ここには誰ひとり二十二歳以上の大人はいない。ぼくたちの「クラブ・パッション」は日本一若い売春組織かもしれなかった。


アンティパストの七種盛りの大皿を片づけているときだった。ジーンズのポケットのなかで携帯電話が歌いだした。着信メロディはクイーンの「ボーン・トゥ・ラブ・ユー」である。御堂静香と同じＨＩＶに感染し、亡くなったフレディ・マーキュリーは、ぼくにとっては特別な歌い手だ。携帯はメールではなく通話だった。

「お電話ありがとうございます。『クラブ・パッション』でございます」

しっとりとした声が濡れた息のように耳の奥に吹きこんできた。

「久しぶりね、リョウくん。そんなよそいきの声をつくらなくていいのよ」

「あっ、トモミさん」

再スタートのお客としては、ベストのひとりだった。アズマがにこにこしながら、こちらを見ている。咲良の頬はすこし赤く染まっていた。

「クラブの滑りだしは、どう？」

ぼくの声も自然にはずんでしまった。

「だって、まだ最初のご挨拶のメールを送ってから、一時間とたっていませんよ。トモミさんが最初のお電話です」

ふふふと含み笑いをして、トモミさんはいった。

「そんなことをきいたら、予約をいれないわけにはいかないね。じゃあ、明日の午後六時でリョウくんはどうかな。学校のほうはだいじょうぶ？」

「はい」

四時限の講義はあったが、仕事のほうが大切だ。誰かに代返を頼めばすむお気楽な講義だ。

「じゃあ、汐留《しおどめ》のコンラッド東京で。うえの和食屋さんに、予約をいれておくわ」

「わかりました。どうもありがとうございます」

「いいのよ。わたしも『クラブ・パッション』がなくなってから、ずっと寂しかったから。ほかにもボーイズクラブはあるけど、リョウくんのところは特別だった。お友達にも、ちゃんと紹介してあげる。じゃあ、明日ね」

電話を切った。アズマが手をあげて、ウエイターを呼んだ。

「初仕事、おめでとう。ぼくがシャンパンをおごるよ。ほんとは賭けをしようって、思っていたんだ。ぼくが先だったら、リョウさんにおごってもらおうって」

アズマが乾いた笑い声をあげた。咲良に目をやると、指先で涙をぬぐっていた。もう一度母が始めた仕事に復帰できたのが、うれしかったのかもしれない。

ぼくたちは届けられたシャンパンで何度も乾杯した。その日の夜、昼間のシャンパンはひどく酔うものだとぼくは反省したのだった。

2

気合をいれて、ホテルのエントランスにむかった。コンラッド東京は汐留の再開発地区にできた話題の外資系のホテルだ。エントランスは広々として、美術館の展示会場のようだった。娼夫を休んでいた一年間は、普通の大学生に高級なホテルなど縁はなかった。久しぶりなので、軽い緊張感がある。

エレベーターにのりこみ、二十八階のボタンを押した。ぼくは高速エレベーターをつかうたびに不思議に思うことがある。地上と天上の世界を結ぶのは、これほどの短時間と指一本の動作だけなのだ。だが、この世界には絶対に越えられない格差があり、天上の楽園と地表の煉獄《れんごく》を自由にいききできるのは、うえに住むひとにぎりの人間だけだ。

ぼくはトモミさんについて情報を整理した。ひそかにつけている手帳の内容を思いだしてみる。トモミさんの年齢は、三十四歳。パートナーとは三年まえに死別している。企業家だった夫は四十八歳年が離れていたというから、病気とはいえ自然死と変わらない。受け継いだ遺産は莫大なものだったらしい。正確な金額はぼくはしらないし、興味もない。ただ彼女からきいたエピソードをひとつだけ紹介すれば、裕福さのレベルがわかるだろう。


ある夜、セックスが終わったあとで、トモミさんはいった。

「ねえ、絶対に堅い投資対象ってなんだかわかる、リョウくん」

ぼくは金もちの女性との会話のためにひととおりの経済知識をつめこんでいた。自信はないけれど、口にしてみる。

「今だったら、新興国の株式市場じゃないですか。タイとか、ヴェトナムとか、ブラジルとか」

トモミさんはうっすらと汗をかいたぼくの額《ひたい》をなでてくれた。

「よくできました。それも悪くないけど、もっとスペシャルなものよ。それはね、女性の一番の親友」

「ダイヤモンドですか」

「そう」

ぼくは街で売られているダイヤモンドについては、すこしだけ知識があった。

「でも、ああした普通のダイヤモンドって、鑑定書がついていても、売るときにはずいぶん価値がさがってしまいますよね」

「そうなの、普通のはね」

ベッドのわきにおいてあるペットボトルから、ミネラルウォーターをのんだ。セックスのあとで一番おいしいのは冷たい水だ。

「特別なダイヤモンドというのがあってね、それはだいたいひと粒四億円から五億円くらいするのかな。そういうのは歴史的な遺産で、それぞれニックネームがついているの。その価値は戦争とか災害とかどんなトラブルが世界で起きても、一貫してあがり続けている。最大の産出国の南アフリカでも、いい鉱脈はほとんど掘り尽くされているしね。新しい名品が発掘される可能性はごくわずか。ねえ、手堅いでしょう？」

この世界には想像もできないような豊かさをもつ人がいるのだ。でも、それほどの個人資産をもっていても、トモミさんにはどこか悲しい翳《かげ》があった。それはぼくのような男を好んで買うというだけのせいではない。トモミさんの生きかたのなかにその翳は緻密に織りこまれていて、当人と区別ができなくなっているのかもしれない。


ロビーフロアでエレベーターをおりた。フロントを抜けて、高い天井の通路をまっすぐにすすむ。ぼくはこれ以上細くするのは不可能なディオールのスリムジーンズに、穴だらけのTシャツ（この穴はショットガンの散弾で開けたものだと注意書きがついていた）をあわせていた。上着はニール・バレットのタキシードジャケットだ。娼夫は身体ひとつで、どこにでもいく。服装に手を抜くことはできなかった。

和食店はフロントをすぎて、右手にあった。絣《かすり》の着物姿で、案内の人が頭をさげてくれる。ぼくはトモミさんの苗字をだした。にっこりと笑って、店の女性はいった。

「もう個室でお待ちですよ。今日はいいお天気ですから、景色が素晴らしいです」

その人の笑いじわにひきつけられた。死んだ母を思いだす。笑いじわのきれいな人が、ぼくの好みだ。個室のあがりがまちで、革靴を脱いだ。

「お待たせしました。ごぶさたしています」

ぼくは軽く頭をさげて、部屋にはいった。十畳ほどある畳の部屋の中央には、黒い漆塗りのテーブルがとおっている。ゆったりとあいだを空けても、八人で会食できるだろう。窓にむかう側に二人分の用意がされていた。トモミさんはゆるやかにウェーブのかかった髪を直しながら、顔をあげた。どこかのミス・コンテストで準ミスに選ばれたほどの大柄な美人だ。

「久しぶり。なんだか、リョウくんは大人っぽくなったね。お料理始めてください。最初にシャンパンをグラスでふたつ」

ぼくはトモミさんのとなりに席をとった。足元は掘ってあるので、正座をせずにリラックスできる。窓のむこうには夕空と浜離宮の緑が広がっていた。雲は勢いのない秋の雲だった。雲と女性の肌はよく似ている。夏の雲は張りをもって内側から盛りあがるようだし、秋の雲は穏やかに輪郭を淡くして高い空を漂っている。ぼくが好きなのは、秋の雲と大人の女性だった。届けられたシャンパンで乾杯した。グラスをあわせる音が耳に涼しい。

「クラブの再開、おめでとう」

「ありがとうございます」

シャンパンは甘く、爽《さわ》やかだった。

「わたしね、あれからあちこちのお友達に、リョウくんのこと話した。アドレスも教えておいたから、予約がはいるかもしれないな」

ぼくはもうひと口シャンパンをふくんだ。

「うれしいです。でも、今はうちのクラブ、人手が足りなくて、なかなかご予約におこたえできないかもしれません」

トモミさんはくすりと笑った。襟ぐりの深いカシュクールのワンピースだった。美しい首筋には年齢にふさわしい輪のようなしわが刻まれている。ワンピースは孔雀《くじゃく》の羽に似た幾何学模様が全体に散っていた。光沢はシルクだ。

「わたしだけ、ちゃんとしてくれたら、それでもいいかな。そういうエクスクルーシブな感じは大好き。リョウくん、今夜は泊まっていけるんでしょう」

ぼくはさっと笑ってみせた。

「はい。明日のお昼まで、時間は空けてあります」

「覚えていてくれたのね」

ぼくはうなずいて、シャンパンを空けた。トモミさんはセックスをした翌朝の気だるいブランチが好きなのだといっていた。あの自堕落で、だらしない感じ。クロワッサンのクズをテーブルに撒き散らし、フルーツを皿に山盛りにして、昨夜のセックスをネタにしながらふたりだけにしかわからないおしゃべりをする。遅い午前のくつろいだ時間が好きなのだ。

「十三カ月ぶりですね。今夜はどんな形がいいか、リクエストがあったら、あとで教えてください。だけど、待ち切れなくて、ぼくのほうが勝手に暴走しちゃうかもしれません」

トモミさんは目の縁を、かすかに赤くした。

「あら、わたし、そういうのも大好き」

それからの二時間は、ゆったりと流れる和食の時間になった。

3

スイートのバスルームは透明だった。周囲はガラス張りだ。入浴を見られたくない人は、内側にロールスクリーンをおろせるのだが、この部屋をつかう者でそうする人間はまずいないだろう。ぼくたちはもちろんおろさなかった。バスルームの四隅にはトモミさんが用意したアロマキャンドルがおかれている。苦痛をとりのぞき、鎮静作用があるというラベンダーの香りだ。

ぼくは指の腹だけをつかい、シャワーキャップをかぶったトモミさんの全身を優しく洗った。これ以上は弱くできないというくらい微《かす》かな力で十分なのだ。身体の汚れを落とすために洗うのではない。

「ねえ、腰のまわりと背中に脂肪がついたでしょう。まだお腹はなんとか腹筋運動でキープしてるんだけどね」

ぼくはコークボトルのような腰に指を添わせた。脂肪の硬さは、女性によってまちまちなのだが、トモミさんは室温のバターのようにやわらかかった。指が沈みそうだ。うしろから手をまわして、重さを増した乳房を支える。

「でも、胸はおおきくなりましたね」

「そうなの。これも脂だからね。ひとカップうえにあがったのかな。リョウくんもまえより筋肉質になった」

ジムでの運動が、体調を整え身体の切れを維持するために必要だった。上腕の筋肉を確かめて、トモミさんはいった。

「だけど、これ以上むきむきになったら、ダメだよ。少年っぽいのが、あのクラブの男の子の特長なんだから」

意外だった。ぼくはアズマ以外の娼夫とは、ほとんど交流がなかった。スカウトの採用基準を学べるかもしれない。

「ほかにはどんな特長があったんですか」

バスソープを塗った指先で、トモミさんのおおきめな乳首を下側からなであげるようにした。乳首の上下には明らかに感覚の違いがあるのだとトモミさんはいう。下側は鋭い快感で、上側は安心するようなくつろぎ。手帳のページにはそう書いてあった。トモミさんは切れぎれに声を漏らした。

「あとはなんだろう……清潔感かな……それに女性をしたに……見てない感じ……リョウくん、それすごくいいみたい」

リクエストにこたえて、ほんのすこしだけ爪の先を立てて、乳首の下側を優しくつまんだ。

「あとは？」

「そんなことされたら……わからなくなる……あとは、会話がきちんと……できて……相手の気もちに……共感する力……あっ……があること……もうっ」

トモミさんはぼくの手を胸から引きはがした。

「それくらいにしなくちゃ、のぼせちゃうよ。わたしがうしろから胸をいじめられるの弱いのしってるでしょう。もうあがろう」

ぼくたちはバスルーム中にシャワーを飛ばして、身体から泡を落とした。トモミさんは笑っていう。

「なんだか、こういうときは甥《おい》っ子《こ》とふざけてるみたいな気分。リョウくんて、不思議だね」

　ぼくはひざをついて、バスタオルでトモミさんの背中と脚の裏側をふいた。バスローブをわたしてあげる。

「なにがですか」

「やんちゃな男の子と頭のいい学生とすごく敏感でやらしい男。それを簡単にスイッチできるでしょう。クラブで一番人気なのが、よくわかる。リョウくんはリョウくんを、探しなさい」

　どこにいけば見つかるのか、まるでわからなかった。それにぼくのような娼夫のどこが、それほどいいのだろうか。女性たちの反応は、いくらか経験を積んだとはいえ、いつだって謎だった。

　おおきな丸い鏡の周辺には、丸い照明。鏡の中央にはバスローブをはだけたトモミさんがいる。久しぶりの行為は、また十三カ月まえと同じ流れになった。ある人を特徴づける欲望の形というのは、いったんできあがると、そう簡単には変化しないのかもしれない。

　トモミさんの場合、欲望の鍵は非人称の男性の手である。誰のものともわからない男性の手によって、後方から胸をさわられること。それがトモミさんが最も興奮するイメージなのだ。すこし滑稽なのだが、ぼくはそのために腰の位置をさげて、自分の顔が鏡に映らないようにしていた。ぼくではなく、抽象的な男の手でなければいけなかったからだ。

ぼくはトモミさんが好きな三種類のさわりかたを、交互に試した。バスルームでおこなった指の腹による乳首の下側の刺激。親指と中指と薬指でつくる三角形で優しく乳首の芯をつまむ動き。それに、大胸筋のうえにのった乳房全体を揺するようにほぐすマッサージだ。

「ちゃんと覚えてるのね」

覚えているのは頭ではなく、指だった。トモミさんは胸への時間が長いほど、そのあとの行為の反応が激しくなる。ぼくはそれから二十分ほど、彼女の乳房を襲うただの男の手になった。

最初のセックスはその洗面台のまえだった。ここで、うしろからといわれたからである。夏のぬかるみにでも浸けるように、ペニスは抵抗もなくトモミさんの内部にすすんでいく。

片手で数えられるほどの往復で、トモミさんは長々とエクスタシーを迎えた。ペニスのつけ根を、赤ん坊の手のようにやわらかににぎられてそれがわかった。耐え切れずに、ぼくもトモミさんを追うようにして達してしまった。

トモミさんは手を伸ばしてぼくの頭をなでてくれた。ぼくたちはそれからもう一度シャワーを浴びて、ベッドにむかった。二度目のセックスはそれから二時間おしゃべりをして、シャンパンのボトルを一本空けたあとのことである。

翌朝は快晴だった。ルームサービスでコンチネンタル風のモーニングをとり、トモミさんとは別々に部屋をでた。ドアで別れるときに、トモミさんはキスをして、ぼくのポケットに三枚の一万円の新札を押しこんでくれた。これは正規の料金とは別なぼくのための個人的なチップだという。

汐留のビル街におりると、時刻はちょうど十一時だった。高い空をいく雲は淡く筋を残し、地上を吹く風は乾いて軽かった。さて、今日の午後のスケジュールはどうなるのだろう。事務所に電話しようとして、携帯電話を開いた。

「リョウくん」

ぼくのまえにすすみでた人影がある。最初は誰だかわからなかった。白崎恵《しろさきめぐみ》は同じゼミの同級生だった。大学にもどってから、ぼくは完全にメグミを無視していた。視線ひとつあわせたことはない。メグミは「クラブ・パッション」を壊滅に追いこんだ密告を警察におこなったのである。罰を受けるのは、当然だった。メグミのせいで、御堂静香は医療刑務所の住人になっているのだ。メグミは幽霊のように青い顔をしていた。恐怖と怒りで、ぼくの声は厳しくなった。

「どうして、こんなところにいるんだ」

「あなたのことを探していた」

再開発地の完璧にデザインされた公開緑地である。どこかの会社のＯＬが昼食を買いにいくため、数人で笑いながらとおりすぎていった。

「違うだろう。昨日の夜から、ストーカーみたいにぼくのあとをつけていた。こんな場所で徹夜で待っていたのか」

メグミは黙ってうなずいた。

「もういいかげんに、ぼくの生きかたに干渉するのはやめてくれ」

ぼくの言葉はまったく届かないようだった。メグミは無視していう。

「どうしても、きいてもらいたい話があるの。お願い」

その場で死んでしまいそうな顔をする。まだ二十歳そこそこの女の子が徹夜で待っていたのだ。しかたなくぼくは応じた。

「わかった。話だけだ。近くのカフェにいこう」

「わたしは代官山のオフィスでもいいよ」

背中に氷をいれられたようだった。ぼくはメグミのほうを見ずに、手近なカフェにむかって歩きだした。

4

ガラス張りのカフェの外を汐留の会社員が、薄青くとおりすぎていった。この時間ではまだランチの客はいない。ぼくと白崎恵は窓際に席をとった。熱のない秋の日ざしがテーブルのうえのコーヒーカップを照らしている。ボーンチャイナだろうか、カップもソーサーも骨のように白かった。

「今度はいったい、なんの用なの」

ぼくの声は冷たかった。頭のなかで何度メグミを八つ裂きにしただろうか。御堂静香が経営する「クラブ・パッション」は、多くの男女が集う非合法の楽園で、ぼくの生きがいだった。女性のもつ多彩な欲望の世界を見せてくれる七色のプリズムだ。目のまえにいる女子大生は、その楽園を破滅させたのである。

メグミは黙って、テーブルに落ちる日ざしを見つめていた。頬の線がナイフで削《そ》いだように鋭くなっている。何キロかやせたのだろうが、ぼくのしったことではない。

「わたしは、あれから、いろいろと考えた……」

思わせぶりなゆっくりとした言葉だった。ぼくは神経を集中させた。新しいクラブを始めたばかりなのだ。今、メグミに警察に通報されたら、すべてが台なしになる。

「リョウくんはしらないと思うけど、わたし咲良さんと会ったの」

驚きで言葉がでなかった。咲良は御堂静香の娘だ。自分で医療刑務所送りにした相手の娘と、どんな顔をして会ったのだろうか。ぼくの警戒心は最大限のレベルに引きあげられた。そんなとき、ぼくはとてもていねいで感じのいい笑顔を浮かべることになる。

「それでどうしたの」

メグミは顔をあげた。まっすぐにぼくを見る。その目には黒々と苦痛がはめこまれていた。

「咲良さんに許してもらいたかった。アズマくんにも許してもらいたかった。それに誰よりも、リョウくんに許してもらいたかった」

意味がわからない。なぜアズマの名がでるのだろう。メグミは熱にうかされたようにいった。

「あれから一年になるよね。そのあいだ、わたしはずっと自分がしたことがほんとうにただしいことなのかって考えてきた。リョウくんは自分がいったことを覚えてるかな」

首を横に振る。ぼくはメグミとの会話をほとんど記憶にとどめていなかった。
「リョウくんはいったよ。場所はあの地下のバー。表面だけただしくても、心が死んでる人間にぼくはなりたくない。娼夫の仕事でいろいろな女性の不思議議や、欲望の不思議をぼくは見てきた。法律違反で汚い仕事でも、ほんとうにやりがいがあるし、感動することだってあるんだ。忘れちゃったかな。あのときリョウくんの目は光っていた。まぶしいくらいにね」

あらためて口にされると、思い出がよみがえった。メグミと娼夫の仕事の善悪について口論になったのだ。最終的にメグミがだした結論は密告だったけれど。
「その気もちは今も変わっていない。メグミは代官山の事務所のこともしっているんだよね。また、誰かに通報するつもりなのか」

いきなりテーブルに前髪がふれるほど、メグミは深々と頭をさげた。
「だから、いっているの。リョウくんに謝りたいって。ずっとリョウくんの言葉を考えていた。欲望の世界とこちらのただしい世界。わたしにはむこう側の世界は決して理解できないのかな。理解できないものを、ただ破壊するだけでいいのかな」

それは世界中で起きていることだった。ぼくたちは自分たちと異質な者を攻撃し排除する。永遠に続く、命がけの間違い探しだ。続くメグミの言葉に、ぼくは心底驚くことになる。

「それで、自分でも試してみることにした」

「なんだって」

メグミはひっそりとうなずいた。それは誰にも同意を求めないうなずきである。

「わたしは御堂さんを破滅させたのだから、自分のただしさを証明する義務がある。そんなふうに思いこんでしまったの」

「メグミ、きみも……」

メグミはかすかに笑った。目に明るい光りがさすのがわかった。

「そうなんだ。わたしも娼婦になってみた。最初はひどく緊張したよ。リョウくんを買ったときと同じくらいね。でも、何人かの男の人と肌をあわせるうちに、わかったことがある。リョウくんのいっていたことは、間違いではなかった。たいていのことはただの仕事にすぎないけれど、ときに身体ではなく魂がふれあってしまう時間がある。自分が望んでいなくてもね。きっとこのことをリョウくんは伝えたかったんだな。そう思った」

「……しらなかった」

メグミは祈るように両手を胸のまえであわせた。

「それがわかったから、もう仕事は辞めた。今では、また昔みたいな大学生。でも、わたしのなかの深いところで、なにかが変わってしまった。できれば、むこう側とこちらの世界を結ぶ手助けがしたいと思うようになった。それにはやっぱり、リョウくんのところで働くのが一番いい。わたしはリョウくんが普通に学生生活を送っていても、内側ではなにひとつ変わっていないのに気づいていた。いつかまたクラブを始めるだろうって」

ぼくは冷たくなったカフェラテをすすった。まだ心のざわめきはとまらなかった。メグミが心底信頼できる人間なのか決めかねていたのだ。

「それで、咲良に会ったのか」

「そう。咲良さんに自分がしたことを謝った。読唇術と筆談のやりとりで、丸一日近くかかってしまったけど。それからアズマくんにも会った」

「クラブ・パッション」のナンバーワンは、ぼくにはひと言もそんな話はしていなかった。

「アズマくんは三十秒で終わった。ぼくは別にいいよ。でも、うちのクラブで働きたいなら、全員のOKをもらわなきゃダメだ。咲良さんとぼくはいいから、リョウさんを説得してきなよ。それで、わたしはこの三日間、ずっとリョウくんのあとをストーカーみたいに追いかけていたの」

「そうだったのか……」

返事のしようがなかった。メグミの目は必死だ。

「リョウくんのそばで、罪滅ぼしをさせてほしい。『クラブ・パッション』で働かせてください。咲良さんは耳が不自由だし、リョウくんとアズマくんは指名でいそがしい。きっとわたしはみんなの役に立つよ。どんなに汚い仕事でも、嫌とはいわないから」

メグミはまた深々と頭をさげた。ぼくは困って窓の外に目をやった。明るい午前の光りのなか、咲良とアズマがこちらに手を振っている。新しい「クラブ・パッション」の代表であるぼくだけがしらなくて、残りのメンバーにはすでに了解ずみの筋書きのようだった。つい笑い声が漏れてしまう。

「わかったよ、メグミ。ぼくたちのチームに加わっていいよ。外にいるふたりといっしょに、そこの高層ビルのうえでビジネスランチにしよう」

ぼくは伝票をとり立ちあがった。メグミは目を赤くしていった。

「ありがとう。リョウくん、わたしをたくさんつかってね」

笑ってこたえなかった。レジに移動する。メグミは久しぶりの散歩に連れだされた子犬のように、すこし遅れてぼくについてきた。

5

ぼくたちがはいったのは、汐留シティセンターの四十一階にあるイタリアンだった。銀座から日本橋にかけての街並みが、窓の外に精密な模型のように広がっていた。四人がけのテーブルは明るい木目で、外の陽光が映りこんで広い。身体に張りつくような薄手の革シャツを着たアズマが、ぼくに笑いかけてきた。

「新しいメンバーを迎えた記念にシャンパンで乾杯しない?」

なんだか、ぼくたちはどこにいっても昼間からシャンパンをのんでいるようだった。咲良もにっこりとうなずく。ぼくはウエイターに注文した。

「シャンパンをグラスでよっつ」

「かしこまりました」

若い男性の手がおりてきて、のみもののメニューをとりさげた。清潔感のあるいい指をしている。ぼくは咲良に読めるように、ゆっくりといった。

「今の手の血管はどう?」

　咲良はなかなかいいという表情で親指を立ててサインを送ってきた。手の美しさや血管や腱の切れ味は、娼夫の大切な要素なのだ。男の手が好きな女性は多い。シャンパンが届くと、アズマが音頭をとった。

「『クラブ・パッション』四人目のメンバーに乾杯」

　チューリップグラスを打ちあわせる澄んだ音が鳴った。そろそろランチタイムだ。会社員の団体が、シャンパンをのむぼくたちを不思議そうに見てすぎた。

「それにしても、メグミが咲良とアズマの両方に会っていたなんて、びっくりした。どうして、いってくれなかったんだ」

　咲良は軽く両手をあわせ、アズマは窓の外を眺めてしらん顔をした。

「おかげで、さっきは心臓がとまりそうになった。その、メグミがまた……」

　メグミは悪びれずにいった。

「警察に通報するかと思ったんでしょう」

「そうだ。まだ再開したばかりなのに、もうおしまいかとあせったよ」

　アズマは少年のように笑った。

「ぼくもリョウさんからメグミさんのことをきいていたから、最初に連絡をもらったとき、どんな鬼みたいな女がくるのか怖かった。でも、会ってみたら、ぜんぜんそんな人じゃなかった。まじめだし、かわいいし」

咲良がさらさらとホワイトボードに書きこんだ。

［しっかりしてるし］

「そう。とてもしっかりしてるし、うちを手伝いたいというのが本気なら、電話番のできない咲良さんの代わりにいい戦力になる。そう思った。だいたい女性のお客さんは、受付が男性だと怖がって電話を切っちゃうことがあるんだよね。メグミさんなら、声もかわいいしぴったりだよ」

手放しのほめようだった。アズマは女性をほめるときは、言葉を節約しない。ぼくも見ならわなくてはいけないと受けいれたね」

「でも、よくすんなりと受けいれたね」

メグミはすこし顔を赤くした。なにかあったのだろうか。アズマは無邪気な笑顔でいう。

「テストはやらせてもらったから」

咲良がびっくりしていた。おおきな身振りの手話になる。

［なんのテスト？］

「アズマくん、やめてよー」

メグミが手を振って制した。アズマは平然としたままだ。

「ぼくは事務所でいったんだ。ぼくたちといっしょに仕事をしたいなら、ここで裸になってごらん。ぼくと寝てみせてくれって」

アズマは男女両性を相手にすることができる。それは痛み以外にセクシュアリティを感じない特殊な性癖のせいだった。通常のセックスはアズマにはない。

「それで、どうしたんだ」

「メグミさんはあの白い部屋で裸になったよ。ぼくはゆっくりそばに歩いていって、メグミさんを抱き締めた。身体は目に見えるくらい震えていたな。でも、目を見ると真剣だった。一歩も引こうとしない。なんだか、きれいだったな。それで、服を着ていいっていったんだ。あとはリョウさんさえOKなら、合格だよって」

代官山のオフィスで、震えながら立つメグミを想像した。それは魅力的だったことだろう。さすがに売れっ子の娼夫である。アズマは女の子の追いこみかたをよくわかっている。


パスタのあと、男性陣は肉の、女性陣は魚のメイン料理になった。昼間からあまりのむわけにもいかないので、アズマ以外はミネラルウォーターに切り替えている。アズマはいくらアルコールをのんでも酔わないし、顔にもでない体質なのだ。

食後のドルチェはタバコのアイスクリームとガトーショコラの盛りあわせだった。咲良がちいさな黒い手帳をとりだした。

「アズマくんのほうは順調」

ぼくはホワイトボードを読んでうなずいた。アズマの客のほとんどは、肉体を痛めつけるのが好きな固定客だ。ぼくのほうは普通の一般客。娼夫の世界で、なにが普通かなど誰にもわからないのだが。

「明日の午後はリョウくん、時間とれる?」

うなずいて、ゆっくりいった。

「だいじょうぶ。大学の講義は三時限でおしまいだ」

咲良の手の動きは早い。今度は細かい字を書いているようだ。メグミがいった。

「すごいね、咲良さん」

ホワイトボードを立てる。

「新規のお客さんがはいってきた。午後三時半に、サンシャインシティで」

客の女性の特徴と詳しい待ちあわせ場所を書いたメモが、咲良からまわってきた。ジャケットのポケットにしまうと、アズマがいった。

「やっぱりぼくたちだけじゃあ、いくらがんばってもお客の注文をさばき切れないな。事務所にはどんどん電話がはいるんだけど、断ることのほうが多いんだ。ねえ、リョウさん、まだいい人は見つからないの」

困ってしまった。大学とクラブの再開でいそがしくて、新しい才能のスカウトに割く時間はほとんどなかった。

「わかってる。みんな、心あたりはないか」

三人とも首を横に振った。御堂静香の困難を思った。風俗系の求人情報誌やネット広告に頼らず、自分の目と足をつかってあれだけレベルの高い娼夫を集めたのだ。よほど娼夫としての適性を見抜く力があったのだろう。ぼくにはとてもそんなことができるとは思えなかった。苦いエスプレッソをすすっていった。

「なんとか、がんばってみるよ」

アズマはあっさりという。

「ぼくはぜんぜん心配してないよ。リョウさんなら、きっとできるもの」

ぼくに対する理由のない過大評価についてきいてみたかったが、黙って食事の最後のメニューを片づけた。

6

九月も終わりになったのに、真夏のような日ざしが照りつけるテラスだった。目をあげると六十階建ての高層ビルが、空の過半をしめてそびえている。雲だけが秋の淡さで、遥か高みに浮かんでいた。

ぼくはアイスラテの紙コップをまえに、日傘のしたでテーブルについていた。何度この仕事をしても、新規の女性と会うまえの緊張感に変わりはなかった。四、五歳くらいの子どもたちが、半袖Tシャツで駆けまわっている。歓声は横に広がらず、上空にのぼっていった。

「あの、『クラブ・パッション』の、リョウさん?」

いきなりうしろから声をかけられた。神経が張りつめていたので、跳びあがりそうになった。振りむきながら席を立つと、地味なグレイのスーツを着た人が立っていた。スカート丈はひざとくるぶしの中間だ。中肉中背、とりたてて特徴もない。年齢は三十代後半だろうか。怒ったような表情をしている。

「こんにちは、リョウです。チサトさんですね、よろしくお願いします」

最初から全力の笑顔で挨拶した。チサトさんは、見てすぐにわかるほど緊張していたのだ。日のあたるテラスでむきあいながら、チサトさんはつぶやくようにいった。

「どうして、わたしはこんなところまで、きてしまったのかな」

辛抱強く待った。こたえは彼女のなかにある。

「わたしはこういうデートをするのは初めてなの。上手にエスコートしてください」

あわてて黒革のショルダーバッグから、財布を抜こうとする。

「あとでいいんです。それより、まずどうしますか」

チサトさんはききとれないほどちいさな声でいった。

「のどが渇いているので、冷たいものを」

「場所は移動しますか」

「……ここでいいです」

ぼくは注文をきいて、テラスの横にあるスターバックスにむかった。アイスラテのトールサイズをもって、子どもたちの歓声のなかテーブルにもどった。チサトさんのまえにトレイをおく。

「うちの男の子はあの子たちより、だいぶおおきいかな」

会話のすすむ方向はお客の女性が決めるのだ。ぼくは流れにあわせた。

「小学生ですか」

「ええ、小学校四年生。今日の午後は六時半まで中学受験の塾があるの」

「まだちいさいのにたいへんですね」

チサトさんはガムシロップをいれずにアイスラテをのんだ。

「子どもを産むってたいへんなことよ。男性には想像もできないくらい。うちの子は今、九歳……」

淡々と流れた言葉がいったん途切れた。なにが起きたのだろう。チサトさんは身体の奥から絞りだすようにいう。

「……それでわたしは出産してから、一度も夫とセックスをしていない。セックスレスなの。この秋の終わりで十年になってしまう」

出産を機にそうした状態に陥る夫婦が多くいることは、何人かのお客からきいたことがあった。チサトさんの言葉はとまらない。

「ずっと自分に女性としての魅力がなくなったのか不安だった。このまま女としての一生を終わるのかな。わたしの性的な能力は子どもをひとり産んだだけで用ずみになるのかな。うちの夫にセックスをしたいというと、家族とそんなことができるか、気もち悪いというの。女から求めるなんてはしたない、最低だって」

チサトさんが泣きだすのではないかと心配になった。頰はチークのせいでなく真っ赤だ。

「パートナーのかたはおいくつなんですか」

「わたしと同じ。三十八歳」

まだ若い男だった。性は子どもをつくるためだけにある。時代が保守化したせいだろうか、若くても頭が化石になった男はたくさんいる。

「つらかったですね」

チサトさんはおおきく肩で息をした。目を光らせていう。

「でも、いいの。今日は復讐するから。わたしを女として見ないあの人への復讐なの。そんなことのための道具につかって、リョウくん、ごめんね」

ここにもひとり欲望に傷ついている女性がいた。この社会で普通の振りをして生活していても、心と身体の奥深く傷ついている女性は無数にいるのだ。

「いいんですよ、ぼくを道具にしても。そのためにぼくはいるんです。好きなようにつかってください」

チサトさんの疲れた顔がぱっと輝いた。

「ありがとう、リョウくん。わたし待ち切れなくなってきた。ほんとのことをいうと、これからすることをずっと想像してここまできたの。たいへんなことになってるかもしれない」

思わず微笑《ほほえ》んでしまった。この恥じらいの顔を見ても、チサトさんの夫はまったくかわいいとは思わないのだろうか。

「うれしいな。そんなことをいわれたら、ぼくも待ち切れなくなりそうです」

「お世辞でもうれしい。時間がもったいないから、いきましょう」

チサトさんはひと口だけしかラテをのまずに席を立った。ぼくはトレイを片づけると、階段にむかうチサトさんのあとを追った。

サンシャインシティの足元にあるラブホテルまで数分だった。復讐するというチサトさんの身体は緊張でがちがちに硬くなっていた。ベッドの横に立ったまま、しばらく身体を抱き、髪をなでる。待つことは、ときに最高の前戯だ。

「キスをしてもいいですか」

目をそらして、幼い子どものようにうなずいた。ぼくは唇の先だけふれる浅いキスをした。ていねいにチサトさんの唇のすべての曲線をなぞる。人間の唇は、無数の曲率をもった曲線の奇跡的な集合だ。最初に舌と舌が出会うまでにたっぷりと五分はかける。初めてのクラブで緊張している女性の場合、ファーストタッチとキスがもっとも大切なのだ。深いキスになっても、段階を追っていく。いきなり奥歯や舌の裏側をなめるようなことはしない。チサトさんから唇が離れるまでたっぷり十分間はかかったと思う。

「わたし、こんなキスは生まれて初めて。べたべたして嫌だなって、いつも感じていたのに」

ぼくの手はチサトさんの張りだした腰骨をやさしく圧迫していた。マッサージの本でそこに下半身をやわらかにするツボがあると読んだのだ。

「キスはみんなこんなふうにしていますよ。ぼくのはぜんぜん特別なものじゃない」

チサトさんはストッキングを脱ぎ、ぼくの右手をとった。自分でスカートをまくりあげる。

「わたし胸はまるで感じないから、すぐにしたのほうがいいんだ……初めて会う十歳以上もしたの男の子に、なにいっているんだろう」

黒いレースのショーツに包まれたやわらかな丘に、ぼくの手を押しつける。チサトさんの言葉は嘘ではなかった。レースの網目はゼリーでもすくったようにすきまなくねばっていた。

「すごく濡れてますね」

ショーツのうえから、てのひらで女性器全体を包みこむようににぎり、ゆっくりとこすった。

「……なんだか……怖いよ……おかしくなる……」

セックスのある段階で、言葉がただの息になり、快楽の音楽に変わる瞬間がある。それは誰とのどんなときでも、男性には啓示的な瞬間である。チサトさんは自宅をでるまえにシャワーを浴びてきたのに、またホテルのシャワーをつかうといった。ぼくはそれを許さなかった。

ベッドに座ってもらい、足を開かせた。ショーツだけとり去る。中年期を迎えた女性で、すでに子どもを産んでいる人の場合、腹や腰まわりを見られるのを嫌がることもあるのだ。

ぼくはたるんだ腹部も、脂肪のつかめる腰のわきも人間らしくて素敵だと思うのだが、そんなときには無理強いはしない。

ベッドの横にひざをつき、スカートのなかに顔をさしこんだ。舌をつかう。ぴりっとした刺激があったのは、きっと家をでてから一度お手洗いにいったせいだろう。ぼくは刺激を感じなくなるまで、ていねいに舌を上下させた。

「ダメー、もうきちゃうー」

いきなりチサトさんが叫んで、髪をつかみ、ぼくの顔を性器に押しつけたのは、クリトリスに舌の先がふれた瞬間だった。ぼくの覚えている限り、チサトさんはその午後、十年間自分にさわりもしなかったパートナーに七回復讐している。

その最初の一回目はぼくの舌によるものだった。

仕事を終えてホテルをでたのは、午後六時。チサトさんは手を振り、明るい顔で帰っていく。今夜の晩ごはんはデパートの地下で、なにかお弁当を買っていくそうだ。

ぼくは会釈して彼女と別れ、携帯電話を抜いた。

「リョウです。今、終わりました」

電話にでたのはメグミである。大学の同級生に終了の報告をするのはなんだか奇妙な感じだった。

「お疲れさま。リョウくん、注文が多くて、パンクしそうなの。どうしたらいいのかな」

「わかった。とりあえず、事務所にもどるよ」

ぼくは携帯電話を閉じて、帰宅する会社員の波にまぎれた。そろそろ本格的に新しいメンバーをスカウトしなければならないだろう。サンシャイン60通りを歩く無数の男たちのなかにも娼夫の適性をもった男が何人かはいるはずだった。ガードレールに腰かけ、周囲のスカウトマンとは逆にとおりすぎる男たちにだけ目をむけてみる。

ぼくにほんとうにスカウトなどできるのだろうか。どの男がどんなセックスをして、どれだけ深く女性たちとコミュニケーションがとれるのか。それはいくら観察しても、ぼくには永遠の謎に思えた。

7

夜はすべての人を包みこむ。

人の強さと弱さ、病気や傷痕、ねじれた欲望にかなえられなかった夢。心の影をすべて包みこんで、朝の光りが世界を殺菌するまで自由な夢を見せてくれるのだ。娼夫としてのぼくが生きているのも、ほぼ夜の世界だった。

新人を探そうと決めたとき、最初にぼくがしたことは夜の街を目的もなく流すことだった。御堂静香との出会いを思いだしたのである。ぼくはアルバイトのバーテンダーだった。友人のホスト、田島進也《たじましんや》を介していたとはいえ、ぼくと御堂静香は偶然しりあったのだ。成果があってもなくても、たくさんの夜の人間に会う。そこからしか、きっと仕事は始まらないのだろう。

その夜ぼくがクルーズしていたのは、新宿二丁目だった。噂で女性に人気のバーがあるときいていたのだ。こうした場合の九割は実際には根拠のないただの噂だが、それが幻であると確かめるには、自分で足を運ぶしかなかったのである。

十月の初めといっても、夜はまだ夏の気配を残していた。肌にあたる空気のやわらかさが違う。夜の熱にふくらんだ風は官能そのものだった。肌を埋め尽くす無数のセンサーを、ひとつ残らず呼び覚ましてくれる。街路樹ではセミの鳴き声が、原色のネオンサインと騒がしさを競っていた。

靖国通りを折れて、成覚寺《じょうかくじ》のほうへむかう。このあたりは有名なゲイタウンなので、きっと初めて歩く男性は驚くことだろう。街灯の光りがささない路地の暗がりには、若い男たちが何人も立っていて、歩いていくと全身を値踏みするような目でじっくりと探られるのだ。女性たちの多くにとって、男性からのあからさまに性的な視線はすでに慣れたものだろう。

だが、男たちは違う。自分が同性から欲望とあこがれをもって見られることに衝撃を受けることになる。セクシュアルハラスメントをテキストで学ぶまえに、男たちの視線の痛さや熱を学んでおきたいなら、ぜひ日本中の男たちはこの街を訪れてみるといい。誰かの獲物として見られることがどういうことか、肌でしることができるだろう。

ぼくは無関心な微笑を顔に貼りつけ、ビルのあいだのジャングルを歩いていった。ネットで落とした地図によると、ちょうどそのちいさな交差点のあたりにバーがあるはずだった。信号のない交差点の中央に立ち、周囲に視線を走らせる。路上看板から青いネオンの光りが夜ににじみだしていた。

〈POLAR　BAR〉

ぼくは救難信号のような青い光りを目指して、夜の交差点をわたった。

そこはオールスタンディングのバーだった。店名の由来はすぐにわかった。ダクトむきだしの天井とフローリングの床を、数十本のスチールシャフトが北極と南極を貫く地軸のように結んでいたのだ。ちょうど腰のあたりの高さに金属の円盤がついていて、客はそこをテーブル代わりにして、カクテルを立ちのみしていた。

いくら女性が強くなったとはいえ、バーはまだ男のテリトリーである。けれども、その店の客は八割が若い女性だった。ぼくは薄暗いフロアのなか、空いているシャフトにもたれて、しばらく店内を観察していた。誰も注文をとりにこない。客は店の奥にあるカウンターに自分で注文しにいくようだ。

横長のカウンターは長さが四メートルほどあるだろうか。そこに三人のバーテンダーが白いシャツと包帯のように細いブラックタイをゆるやかに締めてならんでいる。女性たちは自分の好みのバーテンダーのまえに列をつくっていた。

ぼくは右手から順番に三人の男たちを観察していった。最初は浅黒く日焼けしたスポーツマンタイプ。短いまえ髪はディップで逆立っている。笑うと歯が白くてきれいだ。シェーカーのつかいかたは、まだ熟練からは遠かった。カクテルではなくクラッシュアイスでも製造しているように荒っぽい。彼のまえに立つ女性は若く、よく日焼けしたギャル系が三、四人ほど。ぼくは候補者のリストから、名前をしらないバーテンダーを消した。どこか別なクラブでなら人気者になるかもしれないが、うちの「ル・クラブ・パッション」には必要のない人材だった。

中央で愛想よく客と話しているのは、メガネをかけたおしゃれな学級委員タイプ。指先まで細やかに神経がとおっていて、すべての動作が計算されている。それが逆にやかましかった。シャツとタイのあわせかたにも独特の趣味があるようだ。なぜかカラーのした、素肌に首輪のようにネクタイを結んでいる。こちらは最初のスポーツマンよりもわずかに客が多い。ぼくと目があうと、薄く笑った。なにかを値踏みする引いた笑いだ。今夜も空振りだったのだろうか。ぼくはメガネをリストから消した。

最後が髪を短く刈った小柄な青年である。シャツの第一ボタンはとめられ、タイをきちんと締めている。顔の造りが中性的なので、やんちゃな女の子のようにも、繊細な男の子のようにも見えた。注文を受けると、なにか苦しげな表情で淡々と教科書どおりにカクテルをつくっていた。昔のぼくを思いだす。

彼のまえにできた列の長さは、ほかのバーテンダーの倍ほどあった。この店のナンバーワンは彼のようだ。ぼくはもっとよく観察しようと、列の最後についた。

カウンターに近づくにつれて、違和感が増していく。指の細さはどう見ても、女性のようだった。胸もよく見ると、わずかだがふくらんでいる。だが、顔つきには少年の潔癖さと険しさがのぞいている。最前列にでて注文した。

「ギムレットをひとつ」

御堂静香が最初にぼくに頼んだカクテルを思いだしたのだ。

「はい、オーダーいただきました」

砂を混ぜたようなざらりとした男の子の高い声だった。彼はドライジンとライムジュースを、きっちりと計ってシェーカーにいれた。分量は正確に三対一。ゆるやかにやさしくシェーカーを振る。いいセンスだ。

「この店は長いんですか」

彼はちらりとぼくを見た。また苦しげな表情をする。

「半年くらいです。ぼくは男の人は苦手なんですけど」

シェイクの終わったギムレットを、カクテルグラスに注いだ。ぼくはバーの仕事をしたことがあるので、ひとつの真実をしっていた。液体を扱うとき、その人の繊細さのすべてはあらわれる。彼はカクテルを途切れることのない糸のように注いだ。透きとおった灰色の糸。ぼくの興味はさらに深まった。

「それはここが二丁目だからっていう意味なのかな」

最後の一滴をシェーカーをまわしながら、鮮やかに切る。顔をあげた。黒目がちのおおきな目だった。カクテルグラスの縁のような薄い笑いが顔に浮かんでいる。ギムレットの湖に浮かぶ氷の砕片のように冷たい。

「そうです。でも、お客さんはゲイの人には見えませんね」

グラスがぼくのまえに滑りでた。

「ぼくも違うと思う。あなたはどういう人なんですか」

カウンターの幅は七十センチほど。これだけの至近距離で見ても、一番人気のバーテンダーの性別はよくわからなかった。今度ははっきりと自分の意思で彼が笑った。

「GIDでFTM」

ぼくは娼夫の仕事を始めてから、人間の性について数々の書籍に親しんでいた。GIDはジェンダー・アイデンティティ・ディスオーダー、性同一性障害である。FTMはフィーメイル・トゥ・メイル、心が男性なのに肉体が女性である状態だ。うしろにならんだ客がいった。

「アユムさん、わたしはセックス・オン・ザ・ビーチ」

名前だけがひとり歩きしているさしてうまくはないカクテルだった。ぼくの顔に了解の空気を読んだようだ。彼は軽く驚きの表情を浮かべる。

「そうだったんだ。わかったよ。あとでカウンターが空いたら、話をさせてもらっていいかな」

アユムがまた苦しそうな顔でいう。

「いいですけど、ぼくにはあまり話すことありませんよ」

ぼくはギムレットのグラスをもった。立ち去りながらいう。

「話があるのはこちらのほうだ。森中領《もりなかりよう》といいます。五分でいいから時間をください」

誰もしりあいのいないバーで、ぼくはそれから二時間待ち続けた。そのあいだに咲良に一通だけメールを打っている。

8

終電が近くなって、店はすこし空間が目立つようになった。アユムがカウンターをでて、ぼくを手招きした。何杯目かのグラスをもって移動する。黒いピアノフィニッシュのカウンターの端にアユムが腰かけた。灰皿がおいていない。となりに席をとっていった。

「タバコは吸わないの」

アユムは男でも女でもない目でぼくを見る。

「吸いませんね。ぼくがやってるドラッグは、男性ホルモンの注射だけです」

乾いた笑い声をあげた。うちのクラブの女性客にはタバコが嫌いな人が多かった。髪や服ににおいが移るのが苦手だし、ヘビースモーカーは汗にニコチンのにおいがでる。

「それはよかった」

「どうして」

「より多くの女性から支持を得られる」

休み時間のバーテンダーは、わけがわからないという顔をした。ぼくは御堂静香にスカウトされたときの自分を考えた。思わず笑ってしまう。

「GIDのバーテンって、そんなにおかしいですか」

「そんなことないよ。アユムくんは女性が好きなんだよね」

アユムは探るような目をした。性同一性障害のせいで、たくさんの好奇の視線にさらされてきたのだろう。

「まあ、普通の男なみには。リョウさんは」

ぼくにとって女性は、客でありセックスだった。ぼくはセックスが好きなのだろうか。真剣に考えてみた。こたえは心の底から、自然に湧きあがってくる。

「女性とのセックスは、ぼくにとって仕事なんだ。でも勘違いしないでほしいんだけど、金のためだけにやる嫌々のジョブじゃなくて、すこしずつ自分を磨いていくライフワークとしての仕事だ」

アユムの顔から表情が消えた。混乱しているらしい。わからないほうがいいのかもしれない。心の霧のなかにまっすぐに投げこんだ。

「ぼくは娼夫だ。女性を相手に身体を売っている」

しばらくのあいだアユムは口を開けて呼吸していた。ようやく返事がでてくる。

「その……娼夫がぼくになんの用があるんですか」

決定的なことはどんなふうに伝えたらいいのだろうか。ぼくには御堂静香のようにおぼろげな言葉で人を誘導する技などない。

「きみをテストしたい」

アユムはガスいりのミネラルウォーターをのんで笑いだした。声をさげる。

「ここにはきちんとほんもののペニスをもったバーテンダーが、ぼくのほかに二人いるんですよ。どうして、ぼくなんですか。こんなふうで普通の女の子の相手ができると思いますか」

アユムの苦しい顔は変わらない。

「すくなくとも、お客の列はアユムくんのが一番長かった」

「ものめずらしいだけです」

「そうかな。みんなの目はそんなに節穴なのかな。逆にお客さんはよくわかってるんじゃないかな」

すこしいらだってきたようだった。アユムの目が鋭くなった。さらに中性的な妖《あや》しさが増してくる。バーのざわめきが遠くなった。

「だいたいちゃんとしたセックスが、ぼくにはできないんですよ。身体を売るなんて無理に決まってるじゃないですか」

うちのクラブのナンバーワン、アズマのことを考えた。苦痛以外に性的な快楽をもたない娼夫。肌をペンチでつねられ、カミソリで切られ、ゴムチューブで縛りあげられる。あれがちゃんとしたセックスといえるのだろうか。

「ペニスをだしいれするだけが、セックスではないはずだ。アユムくんはもっと女性をしる必要があるんじゃないかな」

「やめてくださいよ。その台詞はぼくと寝た女の子が口をそろえていうことなんだ。本来なら自分がもっていなければならないはずのペニスがないというのが、どんなにつらいことか。最初からもってるリョウさんにはわかるはずがない」

アユムの肩が上下していた。ぼくは息が静まるのを待って、声をかけた。

「この店でぼくがほんとうにいいなと思った男性は、アユムくんだけだった。きみがダメなら、今夜も空振りだ。好奇心の強い客だと思って、きかせてほしい。いつもはどんなふうにしているの」

薄い唇で苦々しく笑う。心と違う肉体を与えられたバーテンダーはあっさりという。

「ハグする。キスする。胸やあそこをさわったり、なめたりする。相手の子がいく。

さらに何度かいく。それで、おしまい」

「アユムくん自身はどうなのかな」

かすかに頬を赤くして、自分のてのひらに目を落とした。

「自分の身体とさえ感じられない奇妙なものを、好きな人にふれてほしいと思いますか。ぼくが閉じこめられてる女性の身体はストレスの固まりなんです。ある大学の調査では、GID患者の八割が自殺を考えたことがあり、実際に三割が自殺未遂や自傷行為をしているそうです」

ぼくはなにもいえずに、アユムのとなりに座っていた。なぐさめることも、気休めをいうこともできなかった。ちょっとした偶然で、そんなふうに生まれついてしまう人もいるのだ。その事実がバーのカウンターやスツールと同じように、そこに存在しているだけだった。けれども、そのときの沈黙は決して嫌な空気ではなかった。アユムがかすれた声で笑った。

「ぼくのセックスはそれで終わりです。いや、あとで自分の部屋にもどって、思いだしながらひとりでするかな」

ぼくも笑った。

「それは体調が悪くて、たまたま女の子といっしょにいけなかったときの男性全般とまったく変わらないと思う」

ぼくたちの笑い声がその夜初めてそろった。アユムは上半身をぼくのほうにむけていう。

「ここだけの話、この店でアルバイトしてるのも、性別適合手術の費用稼ぎのためなんです。あれには、ずいぶんたくさんの金が必要だから」

「だったら、うちのクラブにくるといいよ」

ぼくは「クラブ・パッション」のシステムを説明した。スタートは一時間一万円の売値で、とり分は六十パーセント。だが、人気がでてうえのクラスにあがれば、値段には上限はなくなる。ときにひと晩の報酬が、どこかの取締役のボーナスや会社員の年収になることもある。

「どう考えても、ぼくに人気がでるなんて思えないけど、テストを受けるだけならタダなんですよね」

「逆だよ。テストを受けてくれる人には、こちらから受験料を払うんだ」

「なんだか、やる気になってきたな。試験はいつですか」

ぼくは表情を変えずにいった。

「今夜、これから。試験官はもう用意してある」

9

タクシーが代官山のマンションのまえにとまったのは、深夜二時だった。このファッションの街は夜が早いので、あたりには秋の虫の声しかきこえない。ソファセットがいくつかおいてあるエントランスを抜けるとき、アユムはいった。

「なんだかすごく豪勢なマンションですね」

麹町《こうじまち》の以前のクラブに初めていったときの緊張を思いだす。だが、今ではわかる。この緊張感もテストの一部なのだ。実際の客に呼ばれるときも、どこにいくかなど事前にわからないのだ。ぼくは返事をせずにエレベーターにのりこみ、最上階のボタンを押した。

この階にはぼくたちのクラブ以外に住まいはなかった。一枚きりの白いドアのまえに立ち、チャイムを鳴らした。ゆっくりと金属のドアが開いた。生成《きな》りの麻のサマードレスを着て、咲良が立っている。アユムが息をのんだのがわかった。

部屋にあがり、奥のリビングに移動した。真っ白な部屋のなかに、ななめに切った天窓から青い月の光りが落ちている。ぼくは静かにいった。

「彼女が咲良さん。アユムくんの試験官だ。口はきけないけど、これからすることについては、了解している。きみのセックスを見せてくれ」

アユムは青い顔をしてうなずいた。ぼくが先に立って、寝室にむかった。咲良はアユムの指先をつまむとあとに続く。十畳ほどある寝室には、新しいベッドとサイドテーブル、ソファが一脚あるだけだ。どれもステンレスの素材感が生きたモダンなデザインだった。この部屋にあるものはすべて銀と白である。ぼくはひとりがけの革張りソファに深々と座り、高く脚を組んだ。

「始めてください」

アユムがかすれた声を漏らした。

「よろしくお願いします」

咲良はうなずいて頬を赤くしている。こうした試験は咲良にも負担になるときと、そうではないときがあるのだとわかった。その夜の咲良は、ひと言でいうとのり気だったのだ。

アユムは最初に咲良の頭を抱いた。髪の分け目に長いキスをする。舌をださずに、顔全体を乾いた唇で掃くようにふれた。立ったまま抱かれているだけなのに、咲良のため息が濃くなった。

唇と唇が重なるまでに十分ほどかかったのではないだろうか。もっともそのあいだ、ぼくはいくつものチェックポイントの採点でいそがしかった。性的な局面では実際の技術など、さして問題ではなかったのだ。指や爪は清潔か。顔や髪に汚れはないか。きちんと洗濯した衣服を身につけているか。そして、女性を大切に扱うことが自然にできるか。基礎的な問題が大事なのは、学科の試験と変わらなかった。

アユムはベッドに咲良を座らせた。ぼくのほうを見て、すこしだけ笑った。咲良は一枚仕立てのサマードレスのしたにはなにもつけていない。麻布越しに乳首の色が淡く透けていた。ぼくに見せつけるようにうしろから咲良を抱いて、母親の御堂静香とは反対の豊かな乳房をこねるようにした。ぼくに見られていることで、咲良の反応はさらに熱くなる。唇を開く角度がおおきくなった。その場の状況を機転をきかせて、最大限に利用する。プラス点がひとつ加算された。

咲良の全身を探るアユムの指と唇は確かだった。あせることなく、じりじりと女性を断崖に追いこんでいく。髪から始まった長い旅は、乳房と性器を飛ばして、咲良の足の丸い指先に到着した。今度はゆっくりと身体をのぼっていく。咲良は最初に性器を開かれ、舌先が中心にふれたとき、ちいさなエクスタシーをむかえたようだった。太もものあいだの谷を流れ落ちる水は、その段階でシーツに澄んだ染みをつくった。

アユムは相手がいってから、急いで服を脱いだ。自分の身体を見せるのが、彼のセックスではひとつの関門になっているようだ。胸にはブラジャーではなく、白いコルセットのようなものをつけていた。ひもで絞りあげるタイプで、胸のふくらみを極力隠すためのもののようだった。したは同じ白のボクサーショーツだ。ホルモン注射のせいか、すね毛は普通の男性と変わらなかった。ただショーツのまえで、白いコットンが垂れさがるようにあまっているので、そこに男性器がないとわかるだけだ。

アユムにとってペニスは指だった。咲良のなかを二本、三本と束ねた指で探るのだ。深さと角度と強弱。指は男たちのペニスよりもずっと繊細に、疲れをしらずに働くことができる。咲良はアユムの筋肉質の肩にしがみつき、何度も崖から跳びおりることになった。

アユムの目は暗がりできらきらと光りをはねたが、身体にはなんの変化もなかった。ペニスのないボクサーショーツは静かなままだ。全身の肌の色がかすかに桜色になったくらいである。興奮は身体から伝わってこない。心は男で、身体は女だというアユムのセックスは、とても不思議な透明感と悲しみを感じさせた。

ただのセックスというよりも、なにかひとつの作品のようなのだ。

何度目かのエクスタシーで、咲良が全身に霧吹きをつかったように汗を浮かべた。アユムは指を抜いて、咲良のとなりに横たわった。

「すごかった、咲良さん、ありがとう」

額に音を立ててキスをする。サイドテーブルにおいてあるミネラルウォーターのボトルに手を伸ばした。わき毛が煙るようにのぞいた。コルセットがなければ、完全に男性である。ごくごくと半分ほどのみほして、アユムは水を咲良にわたした。

「どうでしたか、やっぱりペニスがないと半人まえのセックスでしょう」

ひきつるようにぼくに笑ってみせる。咲良がサイドテーブルに手を伸ばした。ホワイトボードのおおきさはA4ほどだ。マーカーのキャップをとり、音を立てて激しくペン先をつかった。

「そんなことない！　最初のときの誰かさんより、よかったくらい」

ぼくは笑ってしまった。アユムは首を横に振った。絞りだすようにいう。

「こんなぼくが……。だけど、咲良さんは特別なんです。GIDをおかしな目で見ないし。でも、この世界のたいていの人はそうじゃない」

ぼくは咲良のところまで歩き、ボトルをとった。のどが渇いてしかたなかったのだ。アユムのセックスは見ているだけで、とても素晴らしかった。

「この世界のたいていの人を満足させる必要なんてないよ。アユムくんのことを評価してくれて、障害をもったままのアユムくんとセックスしたいといってくれるお客が、ぼくはきっといると思う。その人たちをきちんとつかめばいいんじゃないかな」

ぼくはダークスーツを着たまま、咲良の横に座った。裸の咲良をはさんで、アユムは下着姿でベッドで身体を起こしている。

「障害をもったままのぼくを、求めてくれる人……」

咲良のマーカーが熱がでるほどの勢いで動いた。

［そうよ！　そういう女性は、絶対すくなくないと思う］

アユムの目にうっすらと涙がにじんだ。ぼくは胸をつかれた。目には確かに男と女があるかもしれない。だが、涙には男も女もなかった。悲しみに性別などないのだ。

「おめでとう。アユムくんは合格した。明日でもいい、宣伝用の写真を撮るから、この事務所にきてほしい。これからのことを相談させてくれ」

アユムは音を立ててベッドに倒れこんだ。

「このぼくを求めてくれる人か……不思議だな、毎日死にたいと思っていたのに」

てのひらで目を隠し、アユムはしばらくそのままの姿勢でいた。秋の夜の時間が静かに流れた。

「……ありがとう」

アユムは起きあがるとぼくを見てから、咲良を見た。三人のなかで熱をもった視線がいきいきする。自然に笑い声があがった。それが十月の月夜に起きたことだった。忘れられない人との出会いは、どんな仕事でも必ずあるものだ。たとえ、良識ある社会では口にもできない身体を売るという人類最古の仕事だったとしても。

こうして、うちのクラブに三人目の娼夫が加わることになった。

10

ぼくにはいまだに仕事というものが、よくわからないところがある。

それは就職することについても同じだ。

大学三年の秋を迎えて、周囲では就職活動がにぎやかだった。ほとんどの学生が、希望する企業やそこにいる大学ＯＢの情報に血眼になっていたのだ。どの学部の誰が強力なコネをもつとか、どこのゼミの誰かがプレッシャーに潰されて不登校になったとか、低い声の暗い噂がキャンパスでは乱れ飛んでいた。実際に就職試験があるのは、年明けの春から初夏にかけてだ。ほぼ三カ月で学生は一生の仕事を決めることになる。外側から眺めていると、それはなんだかとても不思議なシステムだった。

職種と会社を選び、（すくなくとも当初は）そこに一生骨を埋めると宣言する。人生の目標を、それほど短期間で決定できるのだろうか。単に大企業であるとか、給与がいいとか、人にいうとき耳あたりがいいといった理由で、就職先をあっさりと決めていいものか。

ぼくたちはまだこの世界のことをなにもしらないのに、無理やり選ばされる。跳びこみ板の先につきだされ、背中を押されることになるのだ。新卒採用のゴールデンチケットをつかうなら、今しかない、さあ選べと。就職活動というのは、目を閉じて投げるダーツゲームに似ていないだろうか。運がよければ、あたる。悪ければ、はずれる。だが、最悪なのはあたりにもはずれにも、まるで現実感がもてないことだった。

ぼくは友人たちからよくきかれることになった。リョウは卒業したら、どうするんだ。まったくシューカツしてないみたいだけど。なにか目標か計画でもあるのか。そんなとき、ぼくはいつもこうこたえていた。

もうすこし時間をかけて、世界をよく見てみたい。二十代の十年間は棒に振ってもいいと思っている。大企業への就職は確かにむずかしいかもしれないけれど、納得のいく仕事が見つかったら、その時点で就職を本気で考えてみる。

たいていの友人たちはあきれた顔をして、ぼくを見ていた。せっかく就職環境がうわむいて、久々の売り手市場になってきたのに、このチャンスを逃すのはもったいない。そんな気もちがなにもいわなくても伝わってくる。

彼らはみな、ぼくがすでに天職を見つけてしまったことをしらなかった。

同級生の多くが就職へのプレッシャーで息をするのもつらそうだったあの秋、ぼくはせっせと自分の仕事をしていた。人にはいえない、だが、とてもやりがいのあるぼくにしかできない仕事だ。娼夫が天職であるといったら、大学の友人たちはなんというだろう。しかも、そこでは肉体のつながりだけでなく、生きている女性という謎にまっすぐ正面衝突することさえあるのだ。

ここで気分を変えて、ミサキさんのことを話してみよう。彼女はまるで秘密諜報部員のような人だった。すくなくとも、事務所では誰もがスパイとか、影の女と呼んでいた。それはミサキさんが、いつだって完璧な暗闇を望んでいたからだ。

暗闇の君。それがぼくが彼女につけた名前だ。

11

旧山手通りのイチョウが黄色い松明《たいまつ》のように燃えあがっていた。春にあれほど大量の葉をつけ、秋には豪勢にすべて散らせてしまう。それでいて死ぬまで成長をとめない。木々のもつ命の力に打たれるような鮮やかな色だ。

ぼくがペントハウスの事務所の窓から、通りに点々と灯《とも》る黄色い炎を見おろしていると携帯電話のベルが鳴った。事務所でつかっている受付用の飛ばしの携帯では、着信メロディはつかっていない。複数重なったときうるさいからだ。メグミがていねいにいった。

「お電話ありがとうございます。『クラブ・パッション』でございます」

その日はめずらしいことに、ほとんど予約のないひまな一日。ソファで寝そべってポータブルのゲーム機で遊んでいたアズマが身体を起こした。小声でいう。

「このお客が、ぼくにつくか、リョウさんにつくか、賭けない」

奥のテーブルで本を読んでいたアユムが、男だか女だかわからないざらりとした高い声で割りこんだ。

「待ってくださいよ。指名はぼくの場合もあるでしょう」

性同一性障害の娼夫は、うちのクラブにはいいアクセントになっていた。カタログを見せて説明するとき、ほとんどの女性が興味を示すのだ。この人はなかなか素敵だけど、どういう人。もちろん、それはぼくが撮影したポラロイドの写りがいいせいもあるのだが、アユムには固定客がすでについていた。メグミはメモをとりながら、うなずいている。ぼくはいった。

「賭けるのはいいけど、別に誰も指名しないフリーの客かもしれない」

アズマがいう。

「じゃあ、今夜の晩めし、賭けようよ」

アユムが本をおいて、こちらにやってきた。

「いいですね。ぼくものった」

電話を切ると、メグミが眉をひそめた。

「お客さまからの電話の最中に、あまりおおきな声でおしゃべりしないで。うちのクラブの雰囲気が壊れるじゃない」

先ほどからぼくたちの話を唇で読んでいた咲良がホワイトボードをつかった。マーカーの音が静かな部屋に響く。

「今のお客の指名は？」

メグミは手元のメモを読みあげた。

「渋谷のラブホテル、アイランドプラザ707号室」

アズマは白革のソファに倒れて、頭を抱えた。アユムとアズマの声がそろった。

「なんだ、またあの女スパイか。じゃあ、リョウさんのお客だ」

咲良が声をださずに笑いながら、ぼくにむかって拍手していた。メグミがいった。

「五時からだって。もうでられる？」

ぼくは腕時計を見た。あと三十五分で時間だ。もっとも代官山から円山町にあるそのホテルまではタクシーなら十五分とかからなかった。旧山手通りが混雑するのを、事務所を開いてからまだ見たことがない。

椅子の背にかけていたジャケットを手にとった。薄手のカシミア。この仕事を始めてから、ぼくは紺や明るいグレイや白の仕立てのいいジャケットを何枚もそろえている。

「じゃあ、いってきます。もどったら、夕食にしよう。アズマ、アユム、さっきの賭けは覚えてるよね」

「ウイ・ムッシュ」

アズマがまたソファに倒れこみながら叫んだ。身頃がとても細いジャケットは、着るのがすこし窮屈だった。だが、一度着てしまえば、身体にぴたりとフィットする。ただのジャケットがなぜ新卒の初任給と同じなのか、それがよくわかる仕立てだった。

ぼくは事務所をでると、燃えあがる夕空とイチョウの木のした、黄色いタクシーをつかまえた。

12

アイランドプラザはまだできて二、三年ほどの新しいホテルである。外観は白いタイル張りでリゾートホテルのような造り。部屋にはそれぞれ趣向が凝らしてあって、バリ、ハワイ、沖縄といった南国リゾート風もあれば、フィットネスマシンや酸素テントといった健康器具をおいた部屋もある。それなりに料金は高いが、部屋も広く、見学するだけでも興味深いものだった。

シティホテルのような大理石張りのロビーを抜けて、顔の見えないフロントをすぎる。扉も内部も鏡張りのエレベーターで、ひと呼吸のうちに七階に運ばれた。沈黙恐怖症のようにイージーリスニング音楽で満たされた廊下をすすみ、707号室のチャイムを押した。しっとりと落ち着いた声がする。

「どうぞ、リョウくん」

丸いドアノブがゆっくりとまわった。ドアの厚さの分だけ、重い金属の防火扉が開いた。ぼくはノブに手をかけて、ここでゆっくりと心のなかで十かぞえなければならない。それがミサキさんとの約束だ。そのあいだにミサキさんは長い廊下を抜けて、奥の部屋のベッドにすべりこむのだ。

「失礼します」

室内にはいった。ここで目を閉じて、また十かぞえる。室内はほぼ完璧な暗黒である。しばらくはなにも見えない。ミサキさんがいつもつかうこの部屋はAVルーム仕様である。最新型のDVDプレーヤーにDLPプロジェクター、7・1チャンネルのスピーカーがセットされている。ラブソファはリクライニングするタイプだった。

だが、ミサキさんはせっかくの設備をほとんど使用することはなかった。大切なのは高精細な映像と音ではなく、そのために不可欠な条件のほうだった。この部屋は映画館や普通の家庭では望めない完璧な暗闇をつくることができた。窓には分厚い木製のパネルが張られ、さらに金属を織りこんだ遮光カーテンがさがっている。ヘッドボードにある各種スイッチのLEDさえ、スイッチで消灯できるようになっていた。

このハイテクAVルームですべての明かりを消して、ミサキさんはいつもぼくを待つ。息をひそめ、完璧な闇のなかでベッドにいる。ぼくはたびたびミサキさんから指名を受けているけれど、まだ彼女の顔を見たことはなかった。

壁に手をふれながら、廊下をすすんだ。奥にいくにしたがって、廊下が明るくなっていた。壁にさがったスクリーンに映像が映しだされていたのだ。ミサキさんにしてはめずらしいことだった。それでも室内は薄暗いままだ。

「ちょっとつけてみたんだけど、けっこうおもしろいね」

ベッドにいるミサキさんを見ようとしたら、声が飛んだ。

「こちらは見ないで」

女性が嫌がることは極力しない。ぼくの仕事の鉄則である。壁の映像を見ながら、ゆっくりとジャケットを脱いだ。画面のなかではロシアの街並みが映っている。そこをふたりで手をつないで歩くのは、氷のように透明感のある肌をしたロシアの女の子だった。アダルトチャンネルだったので、すぐに映像は室内に切り替わる。今度は簡素なベッドのうえで、裸の男優といっしょだった。四人はすぐにアダルトビデオ的な行為を開始した。ロシアや東欧諸国はいまでは世界的なポルノスターの供給国だ。政治と経済の壁が壊されれば、自然に性の壁も壊れる。

「肌がすごくきれい」

ミサキさんの声がしたと思ったら、映像が突然消滅した。自分の手の先が暗い影として、ようやく感じられるくらいの闇である。目が見えないと、シャツのボタンをはずすのも苦労した。ジーンズを脱いで、ボクサーショーツ一枚になった。

「失礼します」

ぼくはミサキさんが開けてくれたシーツのすきまに潜りこんだ。ベッドはほのかにあたたかかった。身体にふれるシーツの感触はなめらかでクリームのようだ。視界が奪われている分、ほかの感覚がずっと鋭敏になる。暗闇には不思議な効果があった。

「いつもおかしなお願いしてごめんね、リョウくん」

暗闇のなかの声もずっと感情細やかであるようにきこえる。ミサキさんの声は公共放送のアナウンサーのようだ。低くよく響き、発音が明確。きっと頭のいい人なのだろう。

「いいえ、別にたいへんなことをしてるわけじゃないですから」

ただ完全な暗闇のなかにいるだけなのだ。顔は見えない。身体も見えない。だが、声も息づかいもきこえるし、身体の内側までふれることもできる。ミサキさんの肌はまだ二十代後半の若々しい張りがあった。この仕事を始めて、目を閉じてもぼくは五歳刻みで女性の肌を判別できるようになっていた。どれだけ化粧のうまい人でもごまかすことのできない年齢の刻印である。

ミサキさんは胸も腰も豊かだった。ぼくのイメージのなかでは、腰骨の張りだしが平均よりもすこしおおきめな印象である。肌はなめらかに整い、手でふれた感覚では顔の造りも悪くないように思えた。それなのになぜ完璧な暗闇が必要なのか。それはぼくだけでなく、うちの事務所全員の疑問だった。ぼくに落ち着くまえに、ミサキさんはアズマも試していたのだ。

「こっちにきて」

かすれた声がシーツをとおしてきこえた。完璧な暗闇のなかでさえ、ミサキさんはシーツをかぶっている。

「失礼します」

ぼくは肩の先からミサキさんにふれた。かすかに、できるだけ弱い圧力でゆっくりと手のほうへおりていく。それを何度か繰り返し、親指のつけ根の筋肉をやわらかにもみほぐした。ミサキさんはたくさんのキーボードを打つ仕事をしていて、そこがいつも凝っているのだ。身体の疲れや凝りをほぐすのと、性的な刺激は七割くらいは重なる部分があるのではないだろうか。疲労回復のマッサージで濡れると女性客からきいたことがある。

「痛い……」

ぼくは即座に力を抜いた。親指のしたの筋肉は手羽先ほどのおおきさである。それが固く張りをもっていた。

「すみません」

「だいじょうぶ。そのすこし痛いのがいいの。続けて」

ぼくは両手の二本の親指で、ミサキさんの右手の親指をゆっくりとほぐしていった。

13

ミサキさんとのセックスは、とても静かなものだ。欲望のための行為というより、緊張の解放とリラクゼーションのための静かな接触である。ミサキさんは息を乱しても、声をあげることはなかった。十分に満足してくれているのか、いつも不安だったけれど、それは指先を濡らす水の量でわかる。そのときも潮のように盛りあがるいつものパターンは変わらなかった。

すべてが終了したのは、一時間ほどしてからだった。闇のなかでは時間の感覚も薄れるので、ひと晩中と同じくらいの長さに感じられた。ミサキさんの濡れた場所をティッシュでぬぐい、ぼくは横になったまま息を整えた。

ミサキさんはじっと天井を見あげてるようだった。横顔が真夜中の山の稜線のようだ。そこに山があるのはわかるが、夜空に溶けこんで細部は見えない。

セックスのあとの女性の声は誰でもハスキーになる。

「昔から思っていた」

ぼくは返事をせずに神経を集中させた。

「どうしたら、ほんとうにセックスだけに集中できるのか」

ミサキさんが自分のセックスについて語るのは初めてだった。すこし考えてから、ぼくは思い切っていった。

「……それで、こうした方法を思いついたんですか」

しゃがれた笑い声。ミサキさんは暗がりのなかで額にかかった髪を直した。動けば人の気配がする。だが、じっと静止していると誰もいないようだった。

「そうね。こんなふうにわたしの表面を消す方法。遊び人の男友達がいてね、こういうおかしな部屋があるホテルがあるって教えてくれたの。その部屋なら真っ暗にできるって」

ぼくはおたがいによくわかっていることを再確認する。

「ミサキさんには完璧な暗闇が必要だった」

「ええ、自分を完璧に解放するためには」

「でも、おかしいな」

ミサキさんがキングサイズのベッドのうえで上半身を起こした。

「えっ、なにが」

ぼくも視線の高さをあわせるために、暗闇のなかで起きあがる。なるべく同じ目の高さで話すのは、娼夫の仕事でも大切なことだ。

「だって、ミサキさんはきれいな人ですよね。スタイルだっていいし、顔は指でふれればわかります。いや、耳で声をきいただけで、美しい人かどうかはわかりますよ」

そうなのだ。美しさはその女性のあらゆる部分にあらわれる。美はフラクタル構造をしていて、細部まで無限に全体の構造を繰り返すのだ。簡単にいうと、きれいな人は髪の毛一本、爪の先まできれいだということ。

しばらく華やかな笑い声をあげてから、ミサキさんがいった。

「リョウくんはほんとうにお世辞が上手ね」

「お世辞なんていいませんよ。そんなことにつかうなんて、時間がもったいないもの」

ぼくは一時間刻みで買われる娼夫なのだ。そんな無駄はしない。こちらが嘘をつけば相手も嘘をつくことが経験的にわかってもいた。

「じゃあ、ほんとうのことにしておきましょう。でも、人の美しさは顔やスタイルだけじゃないから」

ぼくはすこし時間をとって考えてみた。ミサキさんの言葉がまったくわからない。

「それがわたしには子どものころからずっとコンプレックスだった。いつも気になってしかたなかったの」

それというのがなにか、ぼくも気にかかっていた。けれども、ちっとも嫌な感じはしない。セックスが終わったあと特有の、とても親密な雰囲気のせいかもしれない。無理やりききだしたいという気もちにも、そのときはならなかった。

「でも、すごいですね。ぼくたちはもうずいぶんな回数になるのに、ぜんぜんミサキさんのコンプレックスなんて気づかなかった。ぼくはずっとただ暗いのが好きな人だとばかり思っていた」

「八回目」

「……えっ」

ミサキさんの声は落ち着いたものだ。

「今日で八回目になる。ねえ、リョウくん、わたしのどが渇いたな。ミネラルウォーターをとってくれない」

「はい」

ぼくはベッドをでて、つくりつけのキャビネットにむかった。なかには小型の冷蔵庫が収納されている。そのホテルの水はボルビックだ。ペットボトルをもってベッドにもどろうとしたときだった。やわらかな薄明かりが灯り、完璧な暗闇が一気に崩れた。

「どうしたんですか」

ベッドのほうを見ずにそういった。見られることにミサキさんは恐怖をもっている。そんなふうに感じていたのだ。

「だいじょうぶ。リョウくんにはもうすべてを見てもらってもかまわない……こちらをむいて……わたしを見て」

声はかすれていたが、しっかりと胸の底からでているようだった。なにかをごまかしたところのない静かな力に満ちた様子だ。ぼくは裸のままゆっくりとミサキさんのいるベッドに視線を動かした。

そこには上半身裸のまま、胸を張ったミサキさんが身体を起こしていた。長い首筋、整った顔立ち、うえ半分は円錐でした半分は球体になった見事な乳房。二の腕から肩のつけ根は女性らしい丸さで、しなやかな強さがみなぎっている。造形的にはまったく欠点の見あたらない身体だった。だが、ミサキさんの目には薄く涙が張っている。

「どう、やっぱりダメでしょう」

ぼくはミサキさんの胸から首筋、顔にかけての肌に目をこらした。紅茶の葉を思い切りばら撒いたように濃いそばかすが真っ白な肌のうえに浮いている。とくに斑点の激しいのは乳房のうえと顔の中央だった。

「わたしはこのせいで、子どものころからいつもいじめられていた。ごま塩とかゴマフアザラシとかゼンリュウとか」

「ゼンリュウってなんですか」

「全粒粉の食パンのこと。子どものころから、いじめられないように一生懸命に勉強したな。それはわたしの人生にとってなくてはならない努力だったと思う。ソフトウエア開発の仕事ができるのも、あのころがんばったおかげだから」

「なんのソフトですか」

ミサキさんはにっこりと笑った。そばかすの浮いた顔に魅力的にしわが寄る。

「あなたも毎日つかっているものよ。携帯電話。あれにはモデルチェンジのたびに何百万行というプログラムが必要なの」

ぼくはハードには詳しくなかった。ただ便利な道具としてつかっているだけだ。それをこういう人が開発しているのだ。ぼくたちがつかうすべてのものは、誰かが発案し、試作を重ね、つくりあげたものである。

「どうして急にぼくに話す気になったんですか」

ぼくは自分から問い詰めたりしなかった。女性の風変わりな欲望のすべてを受けいれる、それもまた娼夫のルールだ。ミサキさんは自分の胸を見おろして笑った。

「ちょっと気になる人ができたから、それでではね」

ぼくはミネラルウォーターのキャップをひねって、ミサキさんに手わたした。やはり笑いながらいう。

「もう好きになってるんですよね、その人のこと。女性の気になるは、本気になるだから」

フランスから船積みされてきた水をひと口のんで、ミサキさんはいう。

「そうかもしれないね。その人といつか明るい場所できちんとセックスができるようになりたい。そんなふうに思って。これからしばらくは、リョウくんと練習しようかなって。そう思った」

ぼくは裸のまま深く腰を折って、頭をさげた。

「ぼくでよかったら、いくらでも練習台につかってください。ミサキさんの恋がうまくいくことを願っています」

ミサキさんがそばかすだらけの顔を崩して笑った。かすかに頬が赤くなっている。

「リョウくん、こっちにきて」

いわれたとおりにベッドの横にひざをついた。ミサキさんの長い指が、ぼくの頭に伸びる。長毛の犬でもなでるようだった。ミサキさんはぼくの髪を愛しげにくしゃくしゃに乱した。

「そんなふうにいわれたら、胸がキュッとなっちゃうな。あとで、もう一回しようか」

ぼくは笑ってうなずき、シーツのとなりにすべりこんだ。つぎの回が終わって、ホテルをでたのは七時近かった。ほんの二時間なのに、夜を徹して抱きあっていたようだった。

ミサキさんは二度目のときは明かりを落とさなかった。それはまだ月明かり程度の明るさだったけれど、それでもミサキさんの特徴であるそばかすははっきりと目にはいったのである。

ぼくは彼女のそばかすがとても好きだ。

14

「なんだ、そんな理由だったのか」

食前のシャンパンをのんでそういったのはアズマだった。

「彼女はぼくにはそんなことはまったくいわなかった。あの真っ暗な部屋のなかで、ずいぶんサービスしたのになあ。舌が筋肉痛になるくらい」

メグミが顔をしかめた。こんなクラブの受付をしているのに、まだ下ネタは苦手なのだ。アユムはしみじみという。

「ぼくにはその女の人の気もちがわかるな。最初に自分の身体を見せるときは、ひどく緊張するから。ほんとうは男のはずなのに、女の身体を見せなきゃならない。それがひどくつらくて、違和感があるんだよ」

代官山のフレンチレストランのテーブルが一瞬だけ静かになった。アズマがいう。

「まあ、なんにしてもひとつの困難をのり越えようとしている勇気のあるお客がいる。ちょっとしんみりしたから、また乾杯しよう」

チューリップグラスが白いテーブルクロスのうえに透明にあがった。メグミが横目でぼくを見ていった。

「リョウくん、乾杯の音頭を」

「はいはい、わかったよ」

ぼくはこういうときすぐに面倒を押しつけられるタイプなのだ。

「じゃあ、ミサキさんの新しい恋とうちのクラブの発展と……」

そこで言葉を切って、ぼくはそこにいるクラブのメンバーを見わたした。だが、そこには大切な人がひとり欠けていたのである。医療刑務所にいる御堂静香だ。

「静香さんの健康を祈って、乾杯」

「乾杯」「乾杯」

咲良は唇の形だけで乾杯を祝った。その夜のシャンパンは、なぜか舌に苦かった。貯蔵法が悪かったのか、ぼくたちと御堂静香の未来が暗かったのか、それはわからない。そのときには、こんなにいい気分なのに、苦い酒だなと感じただけだった。

15

その日は秋の長雨だった。

ななめに切られた天窓に雨がまだらに落ちて、灰色の空を水玉にゆがませていた。暗い空はすぐに手が届くようでも、はるかな高みにあるようにも見えた。ぼくは午後一《イチ》からはいった仕事を終えて、けだるい気分で白い事務所の白いソファに座っていた。アユムはタクシー代を客がもつという条件で、横浜に出張にでている。

「アズマくん、今夜の仕事は七時からだよ」

三人の娼夫のマネージャーをしているメグミが、パソコンのディスプレイ越しに声をかけた。アズマはポータブルのゲーム機で遊んでいる。目をあげずにいった。

「お客は？」

「マドカさん」

「あー、あの人かあ。じゃあ、今夜はパークハイアットのニューヨークグリルでごはんたべたあと、一本鞭《むち》で思いきりしばかれるな」

メグミは目を丸くした。

「よくわからないけど、それって痛いの」

アズマの身体では神経の混線が起きていて、痛みがそのまま快楽に変換される。流行のスイーツの話でもするようにアズマが目を輝かせた。

「うん、すごくいいよ。とくにマドカさんみたいにベテランになると、一度できたミミズ腫れのところを何度も正確にたたいてくるから」

メグミは一瞬理解不能の表情をしたが、すぐにあきれた顔を引っこめた。ぼくたちのクラブの手伝いをすると決めたとき、いいわたしてあった。昔のように自分の常識やモラルに人をあてはめてはいけない。そんなことをすれば、クラブ内の人間関係がうまくいかないし、なによりも自分が壊れてしまう。欲望の世界はそれほど広くて理不尽だ。

電子のチャイムが二度鳴った。メグミはデスクのうえにおかれたちいさなモニタを確認した。この事務所ではいきなり警察に踏みこまれることがないように、ドアに電気式の内鍵がついている。ぼくはソファから液晶ディスプレイに目をやった。咲良が外廊下を映すＣＣＤカメラにむかって紙片を振っていた。封筒のようだ。

「咲良さん、今開けるね」

メグミがスイッチを押すと、廊下の奥でかちりと金属の鍵がはずれる音がした。近づいてくるスリッパの足音で、咲良が興奮しているのがわかった。ダブルドアが跳ねるように開いた。

咲良は手にした封筒をもって、まっすぐぼくのところにやってきた。裏をむけて差出人を見せる。御堂静香。ぼくは奪うように手紙をとった。

「静香さんからの手紙だ。何カ月ぶりかな」

爪の先で慎重に封を開ける。官給品なのだろうか、封筒も便箋もひどく味気ないデザインだった。紙質も薄っぺら。自分で自由に買えるなら、うちのクラブのオーナーが絶対に選ばないセンスだ。御堂静香は今このときも八王子にある医療刑務所に収監されている。

ぼくは手紙を開いていった。

「読むよ」

アズマがゲーム機をおいて、ソファのとなりに座った。咲良は足元でぼくの顔を見あげている。唇の動きで言葉を読むのだ。メグミはデスクにむかったまま、こちらに顔をむけた。真っ白な事務所の空気が張りつめる。

ぼくは音が揺れないようにすこし抑えた声で、御堂静香からの手紙を読み始めた。

ペットショップのみなさまへ

お元気ですか？
咲良から新しいワンちゃんもはいって、ますます好調ときいています。
こちらも肌の調子は悪くありません。
米七麦三のごはんを規則ただしくたべているからかな。
この調子では、出所後にダイエットが必要になりそう。
ただ病気のほうがあまりよくありません。
ウイルスも人間と同じで、いろいろと癖の悪いのがいるのです。
困ったものですが、いっしょに生きていくしかありません。
秋の終わりにはみんなと会えるのをたのしみにしています。
くれぐれもお店の運営は慎重に。
チョコレートケーキ、チーズケーキ、ミルフィーユにイチゴのショートケーキ。
あんぱんに、お汁粉に、芋ようかん。
こちらでは甘いものが足りないので、夢にお菓子がでてきます。

自由になったら、最初の一日はケーキのたべ歩きにつかうことにします。

ではでは、みなさま、ごきげんよう。

御堂静香

「なんだか、ひどくのんびりしているなあ」

アズマが両手を頭のうしろで組んでそういった。ぼくと咲良はほぼ毎週のように刑務所に手紙を書いていた。再開した「クラブ・パッション」のことは、誰に読まれてもいいようにペットショップという符丁で呼んでいる。まめにオーナーへ報告を送っていたが、返事はすくなかった。その手紙も久しぶりにしては、あっさりしたものだった。咲良がホワイトボードにマーカーを走らせた。

「癖の悪いウイルスってなに?」

うわ目づかいで、ぼくのほうへボードをむけた。御堂静香はＨＩＶポジティブだ。つきあっていた外国人から感染したときいたことがある。ぼくはエイズについて何冊か専門書を読んでいた。彼女のことなら、病気までふくめてすべてしりたかったのである。

「今ではＨＩＶ感染がそのまま死を意味することはなくなった。素晴らしい抗レトロウイルス薬ができたから。薬も昔だったら毎日三十錠近くのまなければならなかったけれど、今では二、三錠ですむんだ」

アズマは肩をすくめた。どんなに深刻なことでも、この娼夫にかかるととたんに軽々しくみえるから不思議だ。この軽さに何度救われたことか。

「今ではエイズも糖尿病とか肝炎なんかと同じってことだね。きちんとクスリさえのんでいれば問題はない。普通の慢性病になったわけか」

咲良には母親のHIVの話が苦痛のようだ。顔色がよくなかった。ぼくはまだ咲良の問いにこたえていなかった。唇を読みやすいようにゆっくりと話した。

「HIVの薬は劇的に進歩した。きちんとのみ続ければ、十年二十年と発症を抑えられる。ただね、たまに抗HIV薬に耐性をもつウイルスが生まれることがある。HIVは人の身体のなかで一日に一万回も遺伝子変異を起こして、いろいろな変異株をつくっているんだ。耐性のあるウイルスが増殖すると、新しい薬でも発症を抑制できない」

「ふーん、すごいね」

どうでもよさげにこたえたのはアズマだった。咲良の顔色は胸に抱えたホワイトボードなみに色を失っている。ぼくは元気づけるようにいった。

「この手紙だけでは、なにがあったのかまだわからないよ。ケーキなんかたべたがっているところをみると、静香さんは元気なようだし。咲良はあんまり心配しないほうがいい。八王子の医療刑務所はあの手の施設のなかでは、すごくしっかりしていて、設備も医師の腕もいいみたいだ」

そちらのほうもすでに調査ずみだった。高度な手術もおこなえる最新の医療設備とレベルの高い医師団。日本には基本的な人権があり、それは檻のなかでも保障されている。メグミは不安そうに咲良の様子をうかがっていた。アズマがソファのうえで伸びをした。

「じゃあ、ぼくはシャワーでも浴びて、仕事の準備をしようかな」

売れっ子はソファを離れ、奥のバスルームにむかった。ぼくは手を伸ばし、咲良の髪をなでた。やわらかな脂肪がのった肩にふれてみる。御堂静香と咲良は親子なのだが、身体つきは対照的だった。やせてしなやかな母とふくよかで丸みをおびた娘。いつもなら指先の沈む肩が緊張で硬くなっている。ぼくは声をださずに、何度も唇を動かした。

(だいじょうぶ、だいじょうぶ、静香さんはきっと、だいじょうぶ)

だが同じ言葉を繰り返すたびに、ぼくのなかで不定形な不安の影がふくらんでいった。心というのはおかしなものだ。いつだって遠い未来にさした影に怯《おび》えるのだから。

16

数日後、ぼくは麻布十番のフレンチレストランにいた。

商店街のならびに看板もださずに営業しているような店で、決して高級店というわけではなかった。フレンチの定食屋に近いカジュアルな店だが、味のほうは確かだった。心地よい暗さの店内で、テーブルのむこうに座るのはミチカさんだ。

ミチカさんは三十代後半。いつもかちりと仕立てのいいスーツを着てあらわれる。パートナーの男性は、国立大学の教授で有名な経済学者なのだという。為替《かわせ》や貿易についてなにかおおきな変動が起きたときには、テレビ局からコメントを求められることもあるそうだ。年齢は彼のほうが十四歳うえである。

ぼくたちはまずシャンパンで乾杯した。シャンパンと白ワインと赤ワイン。食事が終わるまでにグラスで三杯のむのが、ミチカさんとの仕事のときの定番だ。

「こんなにきれいな淡い黄金色をしていて、ぷつぷつとちいさな泡があがって動きもある。目でも鼻でも舌でもおいしいね、シャンパンって」

女性の美しさには、実にいろいろな種類があるとぼくは思う。ミチカさんの場合はセンスのいい、よくしつけられた美しさだった。娼夫の仕事を始めてぼくは気づいた。三十代なかばをすぎて美しい人は、美しさに自分なりの敬意を払って努力を続けてきた人なのだ。さらに上昇していく人と、急降下する人、三十代は多くの女性の分岐点である。

ふふと自分自身に笑って、ミチカさんは続けた。

「といっても、この台詞はうちの主人の受け売りなんだけど」

また始まったようだった。ぼくはいつもミチカさんから、その場に不在の男性の話をきく。

「新しい彼女ができたんですよね」

灰色の膜でも張ったように、一瞬だけミチカさんの目が曇った。

「そう」

「また若い人なんですか」

ミチカさんは十七種類の野菜を刻んだというサラダを、食欲なさそうにフォークで崩した。以前きいた話では、経済学者の浮気相手はミチカさんよりもさらに十歳若いのだとか。

「それならよかったんだけど……」

返事の必要のない言葉のようだった。ぼくは苦味の強いサラダをすこしだけたべた。

「今度の人はわたしよりも年うえなの」

「そうですか」

「浮気相手の年齢にこだわるなんて、バカらしいとは思うんだけど、わたしより年うえの相手というのは、やっぱりすこしへこむなあ」

ぼくたちの会話はいつもゆっくりと流れていく。何度目かのデートで、ミチカさんは早急な回答を求めていないと気づいたのだ。この人の場合、会話の速度と目的地はすべて相手にまかせておけばいい。ぼくにはよくわからないのだが、女性たちは自分自身もふくめてすべての同性を年齢によって切るところがある。ミチカさんはため息とも笑い声ともつかない息を吐いていった。

「相手がわたしよりも若い人なら、ああ若いから彼はひかれたんだと単純に納得できるの。でも、相手がわたしよりも年うえだとそうはいかない。今度の人ね、わたしよりも十歳もうえなんだ」

目のまえにいる人の十年後を想像した。四十代後半になっても、ミチカさんはきっときれいなことだろう。

「年齢はあまり関係ないと思いますけど」

今度は本気で笑ったようだった。目じりの笑いじわがやさしげに深くなった。

「それはリョウくんがめずらしいの。ほとんどの男の人は自分より年うえの女性には魅力を感じないものよ。十歳もうえだったら不能になるなんて男の子は、リョウくんのような仕事をしている人でも多いもの」

おかしな話だった。日本人の多くは誰かと出会うとき、その人自身よりも先に、まずその人の年齢に出会う。年齢だけでなにかが了解された気になってしまうのだ。

「なぜ、年うえの相手はだめなんですか」

ミチカさんはチューリップグラスを親指の先でこすっている。当人は気づいていないのだろうが、それはひどく性的なニュアンスのある動きだった。

「いろいろ考えちゃうから」

静かな店内で、ぼくはゆっくりとつぎの言葉を待った。なぜ、この店がこんなふうにくつろげるのか、ようやく理由のひとつに気づいた。ここではどの店でもかかっているBGMがないのだ。モーツァルトもブラームスもドビュッシーもない。

「あのね、相手が年うえの場合、よほど魅力的な人なんだろうなと最初に考えるの」

ぼくはシャンパンをのみ切ってしまった。ウエイターはたまたま気づいた振りをして、テーブルに寄ってくる。グラスワインの白を頼んだ。できれば、こくがあって、しっかりとのみごたえがあるもの。ぼくは多くの人とは反対に、重い白と軽い赤が好きだ。

「身体も顔も若いのかなあ。きっと体型も崩れてはいないんだろうな。だって、まえの彼女よりも二十歳もうえの人にのりかえたんだから。うちの彼はデートのとき、すごくよく話をするの。それはもうありとあらゆることを」

ぼくは社会を裏側から見ていた。裕福な女性たちから、裕福な男たちについて多くの話をきかされてきたのだ。国際的な経済学者なら、さぞ話題もおもしろいことだろう。どの世界でも専門バカでは一流になることはむずかしい。

「なるほど」

適当なあいづちを打っておく。会話をきちんときいていることは、ミチカさんもよくわかっている。

「だからね、知的で話をしてもとてももたのしい人なんだろうな。センスもいいし、自分の仕事をしっかりとやっている人なんだろうな。そんなふうに悪い想像がつぎつぎと浮かんでしまう」

ぼくは新しく届いたワイングラスに手を伸ばした。

「なんだか、すごい浮気相手ですね。ぼくもおつきあいしてみたくなってきた」

ぴしゃりと頬を打つように、ミチカさんは怒った顔でいった。

「ダメよ。好きな人をふたりもとられたら、わたしその人を刺しちゃうかもしれないもの」

ミチカさんの目の奥をのぞきこんだ。照明のせいだけでなく、目には暗い影が落ちている。

「今夜も、彼はその人と会っているんですか」

ミチカさんはほんの五ミリほどあごを沈ませて、うなずいてみせた。

「そうですか」

「そうなの。それで、わたしも十五歳も若い男の子と会うといってある」

ぼくはなにも返事ができなかった。夫婦のことは夫婦のことで、外から口をだせないことがあるのだ。ぼくの仕事自体もモラルの外側にある。

「だけど、なぜ、そんなことを彼にいうんですか。だって、ミチカさんは……」

彼女は淋しそうに笑い、シャンパンを空けた。

「そうね、リョウくんに会っても、ただ話をするだけで、なにもしないものね」

実際にそうなのだ。ぼくは一時間一万円で雇われたひどく高給とりの話し相手だった。手をつないだことはあるけれど、ハグもキスもしていない。

「うちには子どもがいないでしょう。彼が愛人と会っている夜にひとりでいるのが耐えられないのかもしれない。それに彼にも焼きもちをやかせたいのかな。わたしだって、若い男の子とつきあうくらいの魅力はあるんだって」

ぼくはかすかに笑った。わかっているということを示す同意の微笑だ。話は微妙な部分にさしかかっていた。不用意なひと言で、ミチカさんは泣きだすかもしれないし、席を立って店を飛びだしていくかもしれない。多くの男たちはセックスの際には慎重になるけれど、もっとも危険な会話で気を抜いている。そのせいで、いつも女性からの一撃で、手もなくなぎ倒されることになる。

「それだけなんですか」

はっとミチカさんは驚いた顔をする。自分だけが気づいていない理由。この世界には誰が見ても明白な理由があるものだ。

「そうね。あんなにひどいことをする人だけど、浮気相手と会う短い時間くらいしあわせになってほしいのかもしれない。わたしも遊んでいるから、のびのびしてきてね。わたしのほうは気にしなくていいからって」

ミチカさんの目に薄く涙の膜が張った。白いテーブルクロスのうえにだされたミチカさんの手に、ぼくはそっと自分の手を重ねた。誰かが書いた愛情の定義を思いだした。相手の幸福が自分にとって不可欠な状態を愛という。ミチカさんは夫の幸福を願い、自分を傷つけても嘘をつく。ぼくは今この瞬間にも愛人を抱いているかもしれない経済学者の心の平安のために雇われた、まったく仕事をしない娼夫なのだ。なんだかくやしくなって、ぼくは重ねた手に力をこめた。

「ミチカさん、誰も気づかないんだから、そんなにいい妻の振りなんかしなくていいのに。ぼくとしちゃいましょうよ」

ミチカさんは涙目のまま華やかに笑った。ぼくと同じ白ワインを注文する。

「そうね、いつかほんとうに彼のことが好きじゃなくなったら、リョウくんにお願いしようかな。でも、それまではごはんをたべるだけのボーイフレンドでいいかな」

なんとかミチカさんの気もちは鎮まったようだった。ぼくはそっとテーブルから手をさげた。これでいいのだ。娼夫といっても女性を抱くだけが仕事ではなかった。心のなかにこりかたまった痛みをほぐすこと。その痛みは決して消せないものだけれど、すこしでも軽くすること。それも大切な仕事のひとつだ。

その夜、麻布十番の路地裏で、ミチカさんはぼくを軽くハグして、頬に口紅の跡を残していった。ぼくは勲章のように赤い印をつけたまま、タクシーを見送った。携帯電話を抜いて、事務所に電話をいれる。

「リョウです。今、終わりました」

メグミの声がおかしかった。

「リョウくん、ちょっとトラブルが起きてる」

「なんだって」

神経をつかう会話で、その夜は疲れ切っていた。集中した二時間の会話は、ルーティンのベッド仕事よりもずっと疲労度が高い。

「アユムくんのご両親にクラブのことがばれたみたい。これから話をしたいって。ふたりで代官山に押しかけてくるの」

自宅にもどって休むつもりだったが、そういう事情では事務所にもどらなくてはならないだろう。

「それで、アユムのほうは」

「今ここにいる。さっきからずっと爪をかんでるよ」

そのときがさがさと布のこすれる音がした。アユムの声はホルモン療法のせいで、紙やすりでもかけたようにざらざらとしている。

「うちのバカ親のせいですみません、リョウさん。ぼくのトランスについては、母親のほうは理解があるけど、オヤジのほうはまったくわかってくれなくて。おまえは女なんだから、男になるなんて絶対許さないって。もう死にたいですよ」

「わかった。ぼくがもどるまでなんとかしのいでくれ。でも、絶対に事務所にいれてはいけない。どこか外の店で話をするんだ」

なによりも怖いのは、アユムの親から警察に通報されることだった。ぼくたちの楽園を二度も潰させるわけにはいかない。そうなれば病身の御堂静香を迎えることもできなくなるだろう。

麻布十番の明るい商店街でぼくはタクシーをとめた。開き切るまえのドアから車内にすべりこむ。

「代官山に。なるべくいそいでください」

運転手にそういって、後部座席に深く背中をあずけた。商店街のネオンが夜の川を泳ぐ魚のように透明に流れていく。ぼくの胸騒ぎはとまらなかったが、タクシーのなかでは駆けることもできなかった。全力で夜の街を走れたら、どんなに楽だっただろうか。

性同一性障害というコンクリートブロックのように硬い言葉が、ぼくの頭のなかに積みあがっていった。そこにすこし照れたようなアユムの笑顔が重なる。ぼくはあせる心で、繰り返し同じことを考えていた。障害のまえにアユムという魅力的な人間がいる、それではいけないのだろうか。

男でも女でもない、アユムはアユムだ。それはぼくだって同じことだった。

男でも娼夫でもなく、ぼくはぼくなのだ。この世界に生きている多くの人にとって、それはわかりきったことのはずだった。

17

タクシーがとまったのは、旧山手通りにあるファミリーレストランだった。雨音のしない秋の夜である。傘をもっていなかったぼくは、小走りでエントランスにむかった。傘が嫌いなので、よほど大降りのとき以外、傘をもって外出することはない。

ファミリーレストランは、雨のなか暴力的なほど明るい照明に浮き立っていた。プラスチックのテーブルとJポップとなにをたべても一定の味が保証されたメニューの数々。その店を選んだのは、普段うちのクラブではつかうことのない店だったからだ。夜十時をまわっていたので、テーブルは三割ほど埋まっているだけだった。

ゆっくりと店内を見わたした。窓際の半円形のベンチシートで、咲良がちいさく手をあげた。深呼吸をしてから、足をおく位置を確かめるように慎重にすすんでいく。アユムの両親に警察に通報されたら、うちのクラブは二度目の壊滅的な打撃を受けるだろう。なんとしても、それだけは避けなければならなかった。

ぼくはテーブルの手まえで、腰を深く折って挨拶した。

「初めまして、クラブの代表をしている森中領です」

半円のベンチの右手には、アユムの両親が座っていた。実直そうな父親は白いものが混じった髪をオールバックにしていた。五十にすこし届かないくらいだろうか。白いシャツにグレイのカーディガン。休日の銀行員のような雰囲気だ。

「川瀬《かわせ》重行《しげゆき》です。うちのあゆみがお世話になっています」

アユムの本名はあゆみというらしい。すくなくとも父親は目をつりあげて怒ってはいないようだった。声は抑えた調子で、常識的な言葉がもどってくる。となりにはフリルをたくさんたたんだフェミニンなブラウスを着た女性。髪もゴージャスにパーマでボリュームアップされている。

「あゆみの母、美津子《みつこ》です」

なにかを訴えかけてくるような視線だった。ぼくはもう一度軽く頭をさげて、ベンチの左側にすべりこんだ。こちらには口を固く閉じて、テーブルをにらみつけるアユムとひざにちいさなホワイトボードをのせた咲良がいる。

「話はどこまですすんだんですか」

誰も返事をしようとしなかった。咲良がマーカーをつかった。

「まだお店にきたばかり」

なぜ面倒なことばかり、みんな押しつけてくるのだろう。心の奥に浮かんだ疑問を微笑みで抑えつける。すくなくとも笑えば笑ったような気もちになるし、相手には表面のメッセージしか届かないものだ。

「あの、川瀬さんはアユムくんから、うちのクラブのことをどんなふうにきいていらっしゃるんですか」

中年夫婦は顔を見あわせた。母親のほうがこたえる。

「なんでも女の子とデートをするクラブだとか。一時間あたりいくらというアルバイト代で」

顔を伏せたままのアユムにちらりと目をやった。繊細でとてもきれいな顔立ちをしている。性同一性障害でも心が男性で身体が女性のＦＴＭは、ひどく女性にもてるのだそうだ。そのときのぼくの関心は、クラブで身体を売っていることをアユムの両親がしっているか、どうかだった。直接きくこともできずに、ぼくは言葉を濁した。

「はい、学生が始めたヴェンチャービジネスなんです。デート相手の紹介業というか。ようやく軌道にのり始めたところです」

咲良とマーカーを見た。その手があった。ぼくは咳《せき》をする振りをして、正面のふたりから口元を隠した。唇だけ動かしていった。

（身体を売ってること、しってるの？）

咲良はかすかに首を横に振った。コールボーイのクラブだとしらないのなら、その線で押していったほうがいいだろう。あくまでうちは健全なデート相手紹介業である。ぼくは姿勢をただしていった。

「アユムくんのアルバイトのことで、ご両親にご心配をおかけしてすみません。でも、アユムくんはよくがんばってくれますし、うちの大切な戦力です」

お世辞ではなかった。アユムはデビューしたときから、うちのクラブのスターだったのだ。父親の重行が口を開いた。

「アルバイトについてとやかくいっているわけじゃない。だが、あなたもうちのあゆみが女だってことはわかっているだろう」

身体は確かに女だ。それはよくわかっていた。

「でも、人間は肉体よりも先に精神があります。アユムくんの心は生まれたときから、男の子だった。お父さまもそれはご存知なんじゃありませんか」

言葉がすぎただろうか。アユムの父は腹を打たれたように、苦しそうな顔をした。

「そんなことはぜんぜんご存知じゃない。わたしがいってるのは、こんなクラブで働いて女の子ばかり相手にしていたら、もどれなくなるってことだ」

アユムの母親が肩に手をおいて、夫をとめた。

「この人はあゆみの障害について、理解しようとしないんです」

父親が声を荒らげた。

「だって、そうだろ。あゆみはいつか結婚して、家庭をもち、子どもだって産む。普通の生活を送るようになるんだ」

　父親の目には、必死の色が浮かんでいた。二十年以上の歳月、それをたのしみにかわいい女の子を育ててきたのだろう。想像しただけで、ぼくも胸が苦しくなった。

「お父さまの希望はわかります。でも、アユムくんも同じように苦しんできた。子どもが親の期待にこたえられないのは、たいへんなプレッシャーになるものです」

　テーブルに沈黙がおりた。耳を澄ませると、雨の音がアナログレコードの針音のように耳の底に沈んでいる。

「……もどるってどういう意味だよ」

　アユムが絞りだすようにいった。ぼくと母親の言葉は同時だった。

「アユム」「あゆみ」

　ぼくはすぐとなりに座るアユムに目をやった。ひざのうえで固くにぎられたこぶしは、関節のところが血の気を失って白くなっていた。

「もどるだって……ぼくはどこにもどれるんだ。性同一性障害はどこかの少女歌劇団とは違う。劇団にいるあいだだけ男役をやって、卒業したら普通の結婚ができるなんてものじゃないんだ」

　アユムの目の縁が怒りで赤くなっていた。こんな顔をしたアユムに奪われたいと願う客はいくらでもいることだろう。ぼくでさえ、見とれたくらいだから。アユムの父親は岩のような表情を崩さなかった。

「父さんも想像してみてよ。明日からスカートをはいて会社にいくところ。そんなの耐えられないだろ。でも、ぼくはもの心ついてからずっとそんな毎日の繰り返しだった」

アユムの言葉は父親の心の表面にも届かないようだった。あっさりとはね返されてしまう。

「それは何度もいってるだろう。おまえが男になりたいなんて、生物学的に間違った願いをもつから苦しむんだって。そんなことはあきらめて、さっさと自然に生まれたとおりの性別を受けいれればいい。そうしたら、ずっと生きることが楽になる」

なにかがアユムのなかで切れた音が、ぼくにもきこえた気がした。テーブルのうえを注意した。ナイフがおかれていないか確認したのだ。そこにあったのはコーヒーのカップ・アンド・ソーサーとスプーンだけだった。だが、つぎの瞬間、鋭く研いだナイフよりも危険なことをアユムは口にしていた。

「もうそんなのは不可能だ。あなたの息子は、一時間一万円でたくさんの女たちと寝ているんだよ。今日だって、ふたりの女を何度もいかせてる」

今度は両親のほうが顔を真っ赤にする番だった。怒りにまかせてクラブの秘密を話してしまったアユムを、咲良とぼくはあっけにとられて見つめていた。事態は最悪だった。半円形のベンチで、うっすらと笑っているのはアユムだけ。心と身体の反転した子どもは、必要のない追い討ちのようなひと言を投げつける。

「頭の固い父さんよりも、ぼくのほうがセックスだって、ずっと上手だと思うよ」

そこで言葉を切って、実の父親の心に残酷な言葉が染みていくのを待った。十分に毒が届いたとアユムは判断したのだろう。にっこりと営業用の笑いを見せる。

「女の子たちはみんな抜群だといってくれるからね」

「よしなさい、あゆみ」

やめるんだといおうとしたぼくよりも早く、アユムの母親が叫んでいた。だが、父親も負けてはいなかった。

「ペニスひとつないその身体でか」

アユムの父親の声は氷水のように冷たかった。

「そんなのはただの商売で、お客はおまえの病気をおもしろがっているだけだ。おまえは抜群のテクニックとやらで、子どもをきちんとつくれるのか。この年まで生きてきたから、お父さんにはわかる。セックスは気もちいいだけのものではないんだぞ」

コーヒーのお代わり、いかがですか。頭上からウエイトレスの声がふってきた。声とほとんど同時に白い腕が目のまえをよぎって、カップをさらっていく。ぼくたちはみな黙りこんでしまった。ぼくは必死で考えていた。なんとかこの衝突コースをずらさなければいけない。なにがあっても、うちのクラブだけは守らなければならないのだ。

18

ウエイトレスが風のように去っていくと、ぼくは静かにいった。

「確かに経験は大切ですね。アユムくんのお父さまのおっしゃることもよくわかります。セックスは単純なものじゃない。でも、半世紀を生きてこられたなら、この世界には変えられることと、どうしても変えられないことがあるのも、よくご存知ですよね」

アユムと父親には共通の基盤がなかった。ぼくはなんとかちいさな足がかりがつくれるといいなと思ったのである。それに怒りは瞬間的な熱量だ。誰だって激しい怒りを長時間にわたって抱え続けることはできない。なんとか時間を稼ごう。ぼくの頭にあったのは、それくらいの考えだった。

「学生のお遊び会社の不良オーナーに、もっともらしいことはいわれたくない」

頭が固いというアユムの言葉は事実以外のなにものでもなかった。なにをいわれても、ぼくにはこらえることしかできない。

「あなた、いい加減にしなさい」

低いけれど抑えた迫力のある声で、アユムの母親がいった。

「あなたは仕事、仕事で家にいなかったから、ぜんぜんしらないでしょう。あゆみが女の身体をもって、どれだけ苦しんできたか。あなたがいうように気分を変えるだけで、簡単に心も女になるなんてできないのよ」

さすがに父親も心底怒った妻には遠慮したようだった。とたんに歯切れが悪くなる。

「だけど、いったいどうするんだ。身体のほうを変えるなんて、無理だろう」

妻はまったくとりあわなかった。

「あゆみは女の乳房が嫌で、胸をカッターで切ろうとしたことがあった。声が女の子のようになるのが嫌で、塩素系の洗浄剤でうがいをして、のどを焼こうとしたこともあった。きゃしゃな指になじめなくて、コンクリートの柱をずっとこぶしでなぐっていたこともあった」

雨の音しかきこえなくなった。母親は雨音と同じくらい静かなため息をついた。アユムがひざのうえににぎり締めたこぶしは誰かをなぐる直前のように震えていた。

「仕事がいそがしい、疲れたというばかりのあなたには、なにも話せなかった。あゆみの苦しみを近くで見てきたわたしには、簡単に女にもどれなんていえません」

「……母さん」

アユムが顔をあげた。テーブルのうえ、母親の手に自分の手を重ねた。アユムの手はジムでのトレーニングで鍛えられている。やわらかさと硬さの両方をそなえた、男性でも女性でもない中性的な手だ。母親は子どもの手をなでながらいった。

「でもね、あなたが今している仕事はやはり問題があると思う。あゆみのことだから、考えなしで働いているとは思わないけど」

父親もそれで息を吹き返したようだった。

「そうだ。だいたい身体を売るなど、法律違反だろう」

最も恐れていた言葉がでてしまった。心のなかはあせりでいっぱいだったが、ぼくは平静を装った。動揺している素振りなど、一ミリも見せない。これには娼夫の経験がとても役に立った。この仕事は毎回がぶっつけ本番だった。女性は男性の不安をすぐに見抜き、自分もその不安に感染するものだ。

アユムはとなりに座るぼくにうなずいた。なにをするつもりなのだろうか。

「クラブの仕事に納得がいかないのはわかってます。でも、このクラブにきて、ぼくには初めて自分の居場所が見つかった」

意外な言葉だった。咲良も身をのりだすようにアユムのほうを注目している。

「ぼくはこれまでどんなところにいても、ここは自分の居場所じゃないと感じていた。それは父さんがいう普通の学校やアルバイト先だけじゃない。ぼくみたいな人間が集まる新宿二丁目でさえいっしょだった。あんなにはじけた感じでなく、自然にぼくを受けいれてくれるところはないんだろうか。ずっとそう思っていたんです。いつだってまともだった父さんには、そういうひとりぼっちの感じはわからないかもしれない」

父親は男の格好をした娘をじっと見つめていた。いたわるような口調でいう。

「どんなに普通の人間だって、みんなひとりきりだ。だから、用もないのにあんなに群れているんだろう」

アユムはくすりと笑った。

「職場とか、学校とかね。さんざんやられてきたから、ぼくにもわかるよ。気が弱くて優しい普通の人が、普通でない人間をどんなふうにいじめるか」

咲良がマーカーをつかっていた。

「わたしもわかる。お父さん、きいてあげてください」

ちいさなホワイトボードを父親のまえに突きだした。顔をそむけるようにして、中年男は自分の子どもにむき直った。

「だけど、ここのクラブでは、ぼくのことを誰もなにもいわなかった。ぼくがGIDのFTMだろうが、女性が好きだろうが、この身体を憎んでいようが関係ないんだ。障害があるまえに、川瀬歩《あゆむ》という人間として見てくれる。わかる、父さん」

アユムの身体が震えていた。目が真っ赤になっている。ぼくはアユムを抱き締めてやりたくなった。この人はこんなに長い時間、ひとりで苦しんできたのだ。

「お父さんのいうとおり、身体を売るのは卑しい仕事だ。でも、その卑しい仕事をしているリョウさんたちだけが、ありのままの人間を見るという『普通』のことができたんだよ。お父さん、普通ってなんなの。ぼくが父さんのいう普通にどれだけ苦しめられてきたか、わからないの」

傷ついた獣のように荒い息を吐き、アユムは全身を震わせていた。ぼくは手を伸ばし、アユムの手をにぎった。筋張った中学生くらいの男の子の手だった。アユムがぼくを見て、身体からゆっくりと力を抜いていく。涙目で笑って、自分の父親に目をやった。

「今のままなら、いつか父さんの『普通』にぼくは殺されちゃうよ。だから、このクラブに逃げこんだんだ」

中年男の目が赤くなっていた。ぼくはその年代の男性が泣くところを見たことはなかった。うっすらと汗をかくような涙だった。目を濡らす端から乾いて、決して流れ落ちることはない砂のような涙だった。しゃがれた声でアユムの父親はいう。

「おまえは昔から、なにを考えているかわからない娘だった。いつも自分だけで苦しみを抱えて、誰にもいえない子どもだった。父さんはいつだって、おまえのことが心配だった。あんなちいさな身体に、そんなに悩みを背負ってどうするんだろう。いつもそう思っていた」

母親はもう隠すことなく泣いて、目にハンカチーフをあてていた。

「おまえの普通を、あとで父さんにもきかせてくれないか。いつだって、父さんはお前に興味があったんだ」

アユムはうなずいて、ぼくの手を離した。

「ありがとう、父さん」

19

それからしばらくして、ぼくたちは代官山のファミリーレストランをでた。伝票をとろうとしたら、アユムの父親に先にさらわれてしまった。レジにむかう途中で、ぼくにいう。

「森中くんがきちんとした人間でよかった」

ぼくは自分のスーツを見おろした。フレンチレストランで仕事をした帰りだった。

「外見のことじゃない。きみが昼間から渋谷のセンター街でふらふらしているようないい加減な若者だったら、わたしはきっと警察に通報しただろう。わたしはただの紹介業だというきみの言葉を信じてはいなかった」

ぼくは軽く頭をさげた。

「ありがとうございます。それはアユムくんがいっしょに罪に問われることになってもですか」

アユムの父親はしっかりとうなずいた。

「わたしだって、だてに五十年も生きているわけじゃない。こうしたクラブは暴力団のような連中の息がかかっていることもあるそうじゃないか。そうなったら、あゆみを守るには公権力を頼むしかない」

ずっと危ない橋をわたっていたのだと、そのとき初めて気づいた。父親がぼくに笑いかけていった。

「なるべくうまくやってくれ。無傷であゆみをわたしたちのところに帰してくれ」

アユムの父親が白いものが目立ち始めた頭を深々とさげた。ぼくもあわててお辞儀をする。レジをすませて建物の外にでると、さすがの長雨もあがっているようだった。ときおり吹く横風に、細かな水滴が光りながら運ばれていくだけだ。

「なんだか、リョウさんとうちの父さんが実の親子みたいだった。なに、あの親密そうな話は」

アユムの父親がいった。

「男同士の話だ。気にするな」

「ぼくだって男だよ」

ぼくたちは旧山手通りを代官山駅にむかって歩きだした。ぼくは先をいくアユムのしなやかな背中を見ていた。背中越しにアユムが叫んだ。

「そうだ。男同士で思いだした」

振り返ると、まっすぐに父親のほうにむかう。

「ねえ、父さん、お願いがあるんだけど」

「なんだ」

ぼくたちは立ちどまり、父と男の格好をした娘を見つめた。アユムはうれしそうにいう。

「ぼくは昔からあこがれていた。父親と息子ってときにとっ組みあいのけんかをするんでしょう。ねえ、リョウさん」

ぼくはうちの父とそんなことをしたことはなかった。あいまいにうなずいておく。するとアユムはいった。

「散々心配かけたから、お願いだ。ぼくを一発なぐってよ、父さん」

返事をしたのは母親のほうだった。

「えーっ、本気なの、あゆみ」

うちのクラブの新人は、明るく笑っていった。

「本気も本気。もちろん、お返しにぼくも今までの分、一発なぐらせてもらう。それで、今夜のことは全部ちゃらだ」

旧山手通りは夜になるとほとんど歩行者の姿はなかった。ときおり濡れた音を立てて、自動車が広い並木道を飛ばしていくだけだ。

「わかった、さあ、思い切って一発きなさい」

糸を引くような右のこぶしが、アユムの父親に飛んだ。左側の頬だった。骨と骨のあたるごつんという音がする。それでも、父親は笑っていた。アユムは両足を開いて待った。

「つぎは父さんの番だよ。どうせ、女の身体をもって生まれた男の苦しさなんて、わかんないくせに」

「ぐずぐずいうな、いくぞ」

　また、ごつんという音が夜の歩道に響いた。父は娘と同じところをなぐった。父親もアユムも笑っている。咲良がおかしな顔をして、手をつかった。

「なぐりあって笑うなんて、男って変なの」

「ぼくもそう思う」

　そういって、ぼくはまだ笑っているアユムの短い髪をくしゃくしゃに乱した。アユムは不服そうにいった。

「お父さん、娘だと思って手加減することないのに」

　父親はまだにこにこと笑っている。

「つぎの機会があれば、そのときは思い切りぶんなぐってやるさ」

　アユムが同じくらいの背の高さの父親の肩に手をまわした。そのままずっと広い歩道を歩いていく。ぼくと咲良は代官山の駅で、川瀬家の三人と別れた。ふたりきりになると、咲良がくたびれたように手話でいった。

「お疲れさま。たいへんな仕事だったね」

　ぼくたちは事務所にむかって雨あがりの街を歩いていた。代官山は夜が早いので、通りは暗くなっている。どんな仕事をするにしても、人と人のトラブルはついてまわる。まったく収入にはならなくても、きちんと仕事をまわしていくためには、今回のような難関をこれからも越えていかなければならないのだろう。

先に立って歩くぼくのスーツの袖を咲良が引いた。指と手の動きは、びっくりするほど速かった。

「子どもをもつって、どういうことなんだろう」

ぼくも同じことを考えていた。アユムのような子どもをもつのは、いったいどんな気分なのか。かすかに頰を上気させたまま、咲良は夜のなかで白い手をつかった。

「いつか準備ができたら、リョウくんが子どもをひとりプレゼントしてくれない？」

ぼくは驚いて、咲良を見つめていた。このところ本業のほうがいそがしくて、咲良とはまったくベッドをともにしていなかった。ぼくたちは御堂静香のふたりの子どものようなもので、兄妹のようなものだ。

「ずいぶん大胆なプレゼントだね。ほんとにぼくでいいの」

返事は満面の笑顔だった。咲良はスキップするように駆け寄ると、ぼくの腕にやわらかな腕をからめた。長い夜が終わろうとしていた。夜空をいく雲の足が速い。ぼくたちも夜風に背中を押されるように、仲間の待つ白いマンションにむかった。

20

娼夫の仕事をしていないときのぼくは、人なみ以下の大学生だった。卒業に必要な最低限の講義に出席して、最低の成績でなんとか試験をクリアする。背面跳びの名手のようにぎりぎりで良と可を集めていくのだ。女性たちのさまざまな欲望が見せてくれる世界と、自分なりに組みあげたカリキュラムによる体系的な読書が、ぼくにとっての勉強だった。

大学三年の秋なので、ほとんどの学生は就職活動に必死である。着慣れないリクルートスーツの同級生は、集まるとどこかの企業の面接方式や初任給や生涯賃金の話をしていた。

彼らからは、フリーターを選択して夢を追う冒険派か、早々に就職活動をリタイアした不活性ガスのような負け組に見られていた。ぼくは別にどちらでもかまわなかった。自分がすでに一生の仕事を見つけ、日々働いているのは確かなことなのだ。

大学ののみ会では、よくいわれることになった。

「今年はバブル期以来の売り手市場なのにもったいない。正社員になれば、非正規で働くよりも生涯賃金が倍以上になるのに」

ぼくは笑ってこたえなかった。人の人生の豊かさは年収の積算ではかれるものだろうか。幸福や生きがいは数値として平均化できるのだろうか。数字を信じる者は、結局一生を数字に追われて生きることになるのではないか。

だが、半面で同級生たちの多くには冷めた部分もあった。恋愛や性について、ひどく老成しているのだ。男子だけの会では、女性やセックスの話題もでたのだけれど、そのたびに彼らの体温の低さに驚くことになった。二十歳をすぎたばかりで、男子学生は口をそろえる。

「セックスなんて、誰としても同じ」

あるいは、

「もうセックスには飽きてしまった」

そうしたあきらめに似た声をきくたびに、ぼくは御堂静香に一年以上まえにいわれた言葉を思いだすことになった。

（女性やセックスを退屈だなんて思うのをやめなさい。人間は探しているものしか見つけない）

退屈を探せば退屈を、驚異を探せば驚異を見つける。世界はあまりに豊かな書物なので、必ず望むページにいきあたることになる。それがどれほどただしい指摘だったか、娼夫の仕事をとおして、ぼくは思いしることになった。この世界にも女性たちにも無限の豊かさがある。だが、冷えた欲望のもち主には、扉は決して開かれることはない。それは大海のうえで漂流死するのと同じである。膨大な水にかこまれたまま、渇き死んでいくのだ。ぼくにとって欲望の無限の変化を探るのは、そのまま世界の成り立ちの不思議をリスペクトすることだった。

「クラブ・パッション」の運営は順調だった。定期的なスカウトと、すでに娼夫になった少年たちからの紹介で、クラブのメンバーは充実しつつあった。ぼくとアズマとアユムの三人がＶＩＰ専用で、残る娼夫たちは一時間一万円のインターンだった。

そのころ、ぼくには多くの固定客がいた。レイコさんはそのうちのひとりだ。多いときで月に三回、仕事がいそがしいときには生理まえの月末に一回、ぼくは呼びだされることになっていた。レイコさんはある意味で、典型的な顧客なのかもしれない。女性の欲望の形は、時代に応じて変化していく。彼女が当然のようにもっていて、男子学生が忘れてしまった熱気と鋭敏さについて話しておきたい。

ほんとうなら、これをきいてもらいたいのは、昔のぼくのように欲望の低体温症になった大学の友人たちなのだが、この声は就職活動にいそがしい彼らには届くことはないだろう。現代は富だけでなく、欲望でさえ強烈な格差をまぬがれないのだ。

レイコさんとのデートは、いつも半日がかりだった。

午後の早い時間に、ぼくたちは待ちあわせをすることが多かった。彼女の会社がある渋谷からすこし離れた神泉《しんせん》の交差点である。彼女は四十代になったばかりで、伸び盛りのIT企業を経営している。バツイチだったと思うけれど、過去をくわしくきいてはいなかった。その日の空は平らな筆で塗りつぶしたようなフラットな青。距離という概念が意味をなくしてしまう秋の高い空だった。

目のまえに銀のジャガーがすべりこんできた。コンバーチブルの幌《ほろ》はたたまれている。ベージュの革のシートには穏やかな日ざし。サングラスをかけたままレイコさんはいった。

「のって」

ぼくがあたたかなシートに腰を落ち着けると、レイコさんがリボンのかかった箱をわたしてくれた。

「プレゼントですか」

「そう、このまえ、わたしのを見て、その腕時計いいなっていったでしょう」

真っ赤なリボンをほどいて、紙箱を開いた。なかは赤いケースだった。カルティエの金のロゴが浮かんでいる。ぼくは腕時計をとりだした。

「こんなに素敵なものを、ありがとうございます。でも、いきなりどうしたんですか」

文字盤には金属の格子がはめこまれていた。ぼくは前回レイコさんの腕時計をほめたのではなかった。時間のように獰猛《どうもう》なものを鉄格子のなかに封じこめてしまうというデザインセンスが、とてもおもしろいといっただけだ。自分でねだったことはない。ブランドについては、客との会話のために学習はしていても、自分でほしいと思うことはなかった。

「いいのよ、気にしないで。うちの会社このところ、でたらめにいそがしかったでしょう。リョウくんにもひと月近く会えなかったし。残業ばかりの会社に復讐したくて、高いプレゼントを買ったの。自分が社長だと、やつあたりする相手がいないのよね」

レイコさんはハンドブレーキを解除して、ゆっくりとジャガーのオープンカーを通りの流れに押しだした。サングラスでちらりとぼくの手元を見る。

「今の時計をはずして、それつけてみて。時間はあわせてもらってあるから」

金属のブレスレットのクオーツ時計は、つかいなれた国産品だった。代わりに黒いクロコダイルの革ベルトのパシャ・グリッドをつけてみる。

「リョウくん、今日はスーツを着てるでしょ。ほんとうはブレスレットタイプの腕時計って、カジュアルなものなの。スーツのときは革のベルトが正式よ」

ぼくは紺のペンシルストライプのスーツに、ネクタイを締めずにブルーのシャツをあわせていた。腰のしぼりの深いモダンなタイプの仕立てだ。走りすぎていく都会の空に腕をあげた。腕時計の背後を雲のない青空が流れていく。レイコさんは笑った。

「ははは、なんだか、ざまあ見ろっていう感じね。ほら」

ハンドルをにぎっていた左手を離して、ぼくのほうに袖をまくってみせる。同じデザインでひとまわりちいさな時計が光っていた。

「こんなことでもなくちゃ、社長なんてバカらしい仕事やってられないよ」

そういうと、しっかりとアクセルを踏みこんだ。銀のジャガーは首都高速の高架線へあがる坂道を、空に続く滑走路のように駆けあがっていく。ぼくはちいさなセレクトレバーのうえにのせられたレイコさんの手に自分の手を重ねた。

21

レイコさんはスピードと危険が好きだった。

横浜へむかう高速道路では、まえにほかの車がいないときは、思い切りアクセルを踏みこんだ。銀色の輸入車は油を塗ったようなアスファルトを直進していく。正面をむいて運転しながらいった。

「そろそろいいかな」

運転中の身動きのできない状態で、身体にふれられるのが趣味なのだ。それもできるだけ外気にふれて、人の視線がある場所がいいのだという。ぼくはシートベルトをはずした。

身体をずらし、レイコさんににじりよった。耳に息をかけながらいった。

「今、事故を起こしたら、ぼくは車から振り落とされて死んじゃうだろうな」

レイコさんの首筋に細かに鳥肌が立つのを確認した。耳たぶを軽くかんで、とがらせた舌先を耳の穴にさしこむ。時速百二十キロではほんのすこしハンドルを切るだけで、自動車はおおきくカーブを描くことになる。追い越し車線を走っていたジャガーは白線を越えてしまった。

「あぶないですよ」

男と女の身体はほぼ相似形だとぼくは思う。だが、ほとんど同じ形をした耳のようなパーツは、なぜひとまわりちいさいというだけでこれほど魅力的になるのだろうか。ぼくはレイコさんの耳の複雑な凹凸を舌の先で計測でもするようにゆっくりとなぞった。

「………」

言葉にならないため息を漏らしながらも、レイコさんはアクセルをゆるめなかった。女性ががまんをしている姿は、さらにいじめたくなるものだ。耳よりも敏感な首筋に舌をおろしていく。

「たのしそうなことやってんな。事故るなよ」

頭上から声がふってきた。見あげると十トンダンプカーの若い運転手だった。レイコさんは軽くクラクションを鳴らすと、右手をあげて後方に消えていくトラックに挨拶した。

「みんながあくせく働いている時間に、ほんとにわたしたちたのしそうなことやってるわね」

高架線わきを東京のビルが飛びすぎていった。ぼくは声をあげて笑ってしまった。こんなじゃれあいに意味はない。だが、世界にもまるで意味などなかった。それが愉快でおかしくてたまらなかった。

レイコさんの首筋を舌先で何度も往復した。彼女はあまりべたべたに唾液をつけられるのが好きではないので、乾いた舌をはけのようにやさしくつかう。そのころにはレイコさんの口からは、休むことなくため息がこぼれていた。

「どうなっているか、確かめたいな」

再び耳元にもどって低い声でいう。

「いじわる」

その日のレイコさんは自動車の色と同じシルバーグレイのパンツスーツだった。太もものところの生地が張り切って、つや消しのステンレスパイプのようだ。

「自分で確かめてみせて」

「リョウくんて若いくせに、そういう演出はうまいんだよね」

そういうレイコさんの頬は血の色を透かしていた。耳と首筋は真っ赤だ。右手でハンドルをにぎりながら、左手でベルトをゆるめた。ウエストのホックを苦労してはずしているようだが、ぼくは手伝ったりしない。助手席のドアに身体をあずけて、冷たく観察しているだけだ。

ようやくパンツをゆるめると、レイコさんは左手の指先をショーツのなかにいれた。

「レイコさんの味がみたいから、たくさんつけてほしいな」

サングラスをかけたレイコさんは、それでもひどく恥ずかしげな表情をする。そんなときにぼくはよく思うのだった。自分は仕事をしているのか、それともただこの瞬間をたのしんでいるのか。娼夫の場合、ベストの状態では、仕事とたのしみのあいだに線など引けないのかもしれない。

レイコさんは自分の性器をたっぷりこすってから、パンツにふれないように慎重に左手を抜いた。ぼくのほうに中指を伸ばす。

「リョウくん、誰にでもこんなことやってるなんて、思わないでね」

ぼくは軽く唇を開いて、レイコさんの中指に近づいていった。最新型のコンバーチブルはオープン状態でもサイドウインドウをあげてしまえば風の巻きこみはすくなく、普通に会話ができる。

「そんなこと思いませんよ。でも、誰かとレイコさんがしていたら、くやしいだろうな」

きっと仕事がいそがしかったのだろう。マニキュアがはがれた指先を、舌でゆっくりとなめた。それから指の全長を口にいれる。頬の内側のやわらかい肉に、細い指を刺すようにしながら、指の腹に舌をつかった。

「指がこんなに感じるなんて、リョウくんに会うまでしらなかった」

濡れた音をわざと立てて、口から指を離した。

「それはよかった。今日はたまってるみたいですね。いつもより、粘り気がつよくて、塩味が濃いや」

「そんなこといわないでくれない」

ぼくの倍近い年齢の女性がそんなふうに顔を真っ赤にするのは、見ていて実にたのしいものだった。

「しっかりハンドルをにぎって」

そういうと同時に手を伸ばして、おおきく開いた白いシャツのあわせ目に手をさしこんだ。やわらかな乳房を崩しながら、ブラジャーのすきまに乳首を探した。耳元でいう。

「レイコさん、シートに染みがついてますよ」

「嘘っ……」

ぼくは笑い声をあげ、乳首を押し潰しながらいった。

「座っているんだから、見えるはずないじゃないですか」

レイコさんとの横浜までの三十分間のドライブは、いつもそんな調子だった。

22

横浜の中心部には、東京と同じように超高層マンションが何本も背を伸ばしていた。レイコさんの隠れ家は、山下公園と横浜港を見おろすガラスの塔の四十二階にある。

彼女によれば、その部屋はオフィス直近のリゾートなのだそうだ。

元は白いクロス張りだった部屋は、徹底的に改装されている。壁はすべて濃い桃色で、床やドア枠はこげ茶色だった。

「アメリカのある刑務所に、粗暴な囚人をいれておく独居房があるんだけど、そこの壁がピンク色だってドキュメンタリーで見たことがあるの。子宮を内側から見た色ね。その房では、暴力的な行為がぐんと減少したそうよ」

実際に足を踏みいれると、ピンクと茶色の部屋は妙にあたたかで、居心地がいいのだった。生活するには問題があるかもしれないけれど、一日のうちの刺激的な数時間をすごすには申し分のない内装だ。

ぼくたちが部屋にあがったころには、秋の日は深くななめにかたむいていた。横浜港の空も、眼下の無数の建物も、ピンクの部屋のなかの空気さえ、オレンジのフィルターをとおしたように夕日の粒子で染まっていた。レイコさんは、ぼくの首に両手をまわしてサングラスをはずした。彼女は小柄なので、爪先立ちするような格好になる。

「さっきまでは早くこうしたくてたまらなかったのに、いざとなるともっと先に延ばしたくなる。始まるまえの時間て、すごくいいね。だって……」

力をこめて、レイコさんの胸郭を抱き締めた。息が漏れて、言葉にならなくなる。なにかをいおうと開いた口を、ぼくの口でふさいだ。キスはゆっくりと始めて、しだいに激しくなる。たっぷりと時間をかけさえすれば、舌は言葉と同じくらい多くのことを語れるものだ。

キスを終えると、口のまわりを濡らしたままレイコさんがいった。

「立っていられなくなっちゃった。ベッドにいこう」

ピンクのリビングからピンクの寝室に、レイコさんはぼくの手を引いていった。


寝室のなかでは、ぼくたちの関係は逆転する。

レイコさんのリゾート用ベッドはキングサイズで、シーツも毛布もすべてマットブラックだ。間接照明はぎりぎりまで絞られている。ピンクの壁は、どこかあたたかみのある肉色の闇に変わっていた。もう一度子宮のなかで眠れるなら、こんな雰囲気なのかもしれない。

レイコさんはなにもいわずに、ぼくをベッドに押し倒す。ジャケットを脱がせ、シャツのボタンをはずす。あわせ目から冷たい指先をいれて、さっき高速道路でぼくがしたように、乳首にふれてくる。ベルトのバックルをはずされ、パンツと靴下を脱がされた。

ぼくはグレイ霜降りのボクサーショーツ一枚で、黒いベッドに横たわった。レイコさんは興奮でかすれた声でいった。

「リョウくんの味を見させてほしいな」

ぼくのペニスはきついショーツを船の竜骨のように支えていた。前立から手をいれた。ペニスの先は透明な滴で濡れている。中指の先に滴をのせて、レイコさんのほうにさしだした。

「いけない男の子ね。こんなに漏らして」

レイコさんはハチミツでもなめるように味もにおいも残らなくなるまで、ぼくの中指をなめた。四つんばいのまま、彼女は器用に裸になった。まだシャワーを浴びていないぼくの全身に舌をつかい始めた。車のなかではいじめられるのが好きなくせに、ベッドでは主導権をにぎりたいタイプなのだ。レイコさんはぼくの腹や背中や太ももの裏を舌で確かめながらいった。

「こんなことというと変に思うかもしれないけど、こうしてリョウくんをよろこばせようと思ってなめてると、ほんとに無心になれるんだ。このまえなんか、むずかしい仕事のすごくいいソリューションが浮かんだ。あの腕時計は、そのお礼でもあるんだよね」

大好きなことに集中する。セックスでなくてもぜんぜんかまわないけれど、そういう時間をどれだけたくさん一生のうちにつくれるか。富でも名声でもなく、それが人生の満足度を計る鍵だとぼくは思う。なにかほかのためでなく、その行為自体が目的になった輝くような時間。レイコさんは全身の探検を終えると、ペニスをじりじりと舌でのぼってきた。

「リラックスして……」

快感のせいで腹筋に力がはいってしまった。レイコさんはペニスには手をそえずに、筋肉の形の浮きだしたぼくの腹に手をおいて、口のなかのあらゆる場所にペニスを押しつける。舌を離していった。

「気もちよかったら、たくさん声をだして」

あのときの男の声が嫌いだという女性もいるけれど、レイコさんは別だった。自分が生みだした快感なら、いくら相手が反応してくれてもかまわないという。ぼくはいつもよりもすこしおおきく、声を漏らした。

そのまま時間の感覚がわからなくなっていく。女性にペニスをなめてもらう五分間は三十分のようだし、十分間は数時間にも感じられる。感覚の刺激量と時間の流れがごちゃ混ぜになってしまうのだろう。たっぷりと口で味わってから、レイコさんはサイドテーブルの引きだしから、コンドームをとりだした。歯で小袋を裂き、ペニスにかぶせてくれる。

ぼくの胸を片手で押さえていった。

「そのままで、わたしにのらせて」

レイコさんの身体はしたから見あげると、とても若かった。仕事はいそがしいようだが、ボディとフェイシャルのエステは欠かさないという。今の四十代は、昔と違って文字どおり若いのだ。うえにのると自由に敏感なところにペニスをあてられるので、レイコさんはすぐにいってしまうのだ。

そのときも動き始めて、十数回で腰を震わせながら、その日最初のエクスタシーを迎えた。レイコさんはぼくの胸に顔をつけていった。

「今日の最初はこの格好で、リョウくんもいって」

わかりましたというと、ぼくはレイコさんをのせたままゆるやかに動きだした。


終わったあとで、ぼくたちはミネラルウォーターをまわしのみした。以前から不思議に思っていたことをきいてみた。

「自分から徹底的にサービスする女性はすくないと思うんですけど、レイコさんは昔からそうだったんですか」

レイコさんは口を縛ったコンドームで遊んでいた。

「これだけの液体で新しい命ができたりするんだものね。おかしな感じ。昔はわたしも男の人にしてもらうほうが好きだった。年をとって、ばりばり仕事してるうちに、男性化しちゃったのかな」

コンドームをサイドテーブルに投げて、ぼくのほうに飛びかかってくる。乳首にキスしていった。

「でも、今はやられちゃうのも、やっちゃうのも好きだな。とくにリョウくんみたいに若い子だと、うんと感じさせてあげたくなる。わたしもまだまだいける。そんなことを確かめたいのかな」

レイコさんはそれからあおむけになった。天井も壁と同じピンク色だ。

「だから、今度はリョウくんにサービスしてもらおうっと」

「はい、ご主人さま。たっぷりお返しさせてもらいます」

ぼくはふざけて舌を垂らしたまま、レイコさんに近づいていった。また新しい性の時間が始まろうとしている。それは何度繰り返しても、泉のように新鮮な時間だ。


帰りは京浜東北線をつかうことにした。タクシー代はもらったのだが、横浜から東京まで車をつかうのは気がすすまなかった。レイコさんとはマンションの玄関で別れた。彼女はあの超高層のリゾートで泊まり、明日の朝横浜から会社へいくという。

レイコさんのような人は、とくに三十代以上ではめずらしくなかった。社会学でも性医学でもくわしい調査報告はないけれど、ベッドでの主導権は男性からじりじりと女性のほうに移りつつあるようだ。男性が一方的にサービスするのではなく、ほんとうは中間の地点にあるというのが本来の位置なのかもしれない。若い友人の多くが性を重荷に感じるのは、これまでの男性の役割に対する反抗だろうか。電車のなかで夜の窓を見つめながらぼくが考えていたのは、そんなことだった。

メールの着信をしらせる振動は、川崎と蒲田の中間で起きた。線路沿いをにぎやかな商店街が流れていくなか、ぼくは携帯電話を開いた。メグミからのメールだった。

リョウくんに相談があります。
うちのクラブでは、社内恋愛は
禁止なのでしょうか?
リョウくん以来、久しぶりに
好きな人ができたみたいです。
相手の人も好意をもってくれている
ようなのですが……
オーナーのリョウくんにひと言、
報告をしておきたくて。
今度、時間のあるときに

話をきいてください。

「クラブ・パッション」のなかでの社内恋愛？

あのクラブにはぼくとアズマと性同一性障害のアユム、あとは何人かの新人がいるだけだった。メグミの相手というのはいったい誰なのだろう。ぼくは心地よく疲れた身体を、電車の揺れにまかせていた。

すぐにメグミにメールを返信する気にはなれなかった。人はどこにいても恋をするし、セックスもする。それはぼくたちのように身体を売ることをビジネスにしている人間でも変わることはなかった。

23

恋愛の先にはセックスが待っている。

この順番は最近では必ずしも、このとおりではなくなっているけれど、それでもほとんどの人にとってはただしい流れだ。

けれども、ぼくたちのように心よりも早く身体をつかう仕事では、順番は当然でたらめになってしまう。恋愛のなかで心と身体が切り離されると、ただでさえ困難なチャレンジはとたんに迷路のようになる。いき先もわからず、自分がただしいルートにいるのかも確かめられずに、恋の迷路をさまようことになるのだ。

だが、娼夫も恋をするし、娼夫に恋をする女性もいる。

それがぼくの大学の同級生とうちのクラブの売れっ子となると、他人《ひと》ごとのように冷静にかまえてはいられなかった。クラブには社内恋愛禁止などという規則はなかった。最初から、そんな事態を想定したことがなかったのである。

しかし、男と女がいるところでは、予想外のことが起こる。そのうちの片方が女性から男性に戸籍のうえでも変化していく途上でも、それはまったく変わることはなかった。

「すみません。先に好きになったのは、ぼくです」

ざらりと砂で磨いたような声で、アユムが頭をさげた。ぼくたちがテーブルをかこんでいるのは、代官山の事務所から一番近いホテルだった。渋谷のセルリアンタワー。四十階にある南仏プロヴァンス料理のレストランである。

「違うの、リョウくん。最初に話しかけたのは、わたしのほうだから」

テーブルのむこうには、モノトーンのスーツのアユムと黒いニットのワンピースを着たメグミが座っていた。こちらからは見えないけれど、テーブルのしたで手をつないでいるようだ。おたがいに相手をかばいあったふたりは、ちらりと視線をあわせた。それだけで周囲に甘い空気が立ちのぼるのは、始まったばかりの恋のせいだろう。

「別にどちらが始めたかは、問題じゃないよ」

ぼくは処置に迷っていた。恋愛は自由だが、完璧なエンジンのようにバランスよく回転しているうちのクラブを混乱させたくなかった。チームワークの魔法は、ほんのわずかな衝撃で消え去ってしまうことがある。まして、主要メンバー五人のうちふたりが恋愛関係になれば、クラブに影響をあたえないはずがなかった。

「だけど、驚いたよ。最初にメグミからメールをもらったときは、てっきり相手はアズマだとばかり思っていた」

ランチタイムも終わりに近づいていた。主婦の集団があちこちで、帰り支度を始めている。都心の高級レストランは、この時間どこも女性でいっぱいだ。アユムがちらりとぼくのほうを皮肉な目で見た。

「へえ、それはぼくがトランスだから」

アユムの声はホルモン注射で女性と男性の中間の高さになっていた。

「気にさわったら、あやまるよ。もちろんそれもあるし、アユムがうちのクラブにきたばかりだったから。メグミはすぐに人を好きになるタイプじゃない」

目のまえのショートカットの男性を見た。アユムは性別適合手術は受けていなかった。乳房の切除も、外性器の構築もまだなのだ。やはり男装した女性に見える。

「それはわたしも驚いたの。でも、クラブでお客を待っているあいだに、たくさん話をしたんだ……」

メグミが口ごもった。時間的に見れば、娼夫の仕事の半分は待つことだった。普通は携帯電話で仕事の連絡をすませるので事務所にはいなくてもいいのだが、アユムは代官山に詰めていることが多かった。メグミは電話番をしながら、娼夫たちのスケジュール管理をしている。ふたりきりになる時間はきっと長かったのだろう。

「それで気がついた。こんなに真剣にいろんなことを考えている人はいないって。学校にいる男の子なんかとはくらべものにならない。ちょっとリョウくんに似てるなって思ったもの」

それはアユムの特徴のひとつだった。なにごとにも真剣で一途《いちず》、ときにもうすこしゆとりがあればもっと仕事だって伸びるのにと歯がゆくなることもある。にこりともせずにアユムはいった。

「それは自分がトランスだからですよ。こんな外見だし、まだほんものの男になっていない。人からなにかをいわれるまえに、しっかりとしないといけない。それは自分の身体に違和感がない一般の人にはわからないかもしれない。自分のままであってはいけないんだ。子どものころから、ぼくはずっとそう思っていたから」

生まれおちたときあたりまえのようにあたえられる性別で、これだけ傷つく人がいる。ぼくたちの社会は性別によってくっきりと分かれているのだ。

「リョウさんは外出先でトイレの場所なんて、覚えていないでしょう」

いきなりきかれて考えてしまった。

「うん。気にしたこともなかった」

「自分はだいたいのトイレは覚えてます。笑っちゃう話ですけど、障害者や赤ちゃん用の広い個室のあるトイレは、ほとんどチェックしてますね。男とか女とか関係なくつかえるから。まあ、ああいう施設はＧＩＤのためにつくられたわけじゃないでしょうけど」

アユムはかすれた声で笑った。

「アユムくん、またスイッチがはいったみたいね」

微笑みながらとなりに座る娼夫を見て、メグミがいった。

「この人、ずっと性同一性障害で悩んでいたでしょう。話ができる相手がほとんどいないから、リョウくんみたいにきき上手で、自由な人だと話がとまらなくなるの」

これもまた別な種類の仕事のひとつかもしれなかった。アユムのなかにある苦しみをききだしておくのは、きっとこれからのクラブのためにも役に立つだろう。

「いいよ、アユム。ぼくは夜まで仕事ははいっていない。苦しいこと、うれしいこと、ひそかに望んでいること……」

ぼくはメグミにさっと視線を送った。

「それに、新しい恋人のこととか。アユムの話を、全部きかせてもらいたいな」

24

二杯目のコーヒーが届くと、アユムはかすかに頬を赤くして話し始めた。

「GID、性同一性障害と同性愛って、ごっちゃになることが多いんだけど、リョウさんはなにが違うかしってる」

アユムと仕事をするようになってから、何冊かの本は読んでいた。だが、首を横に振る。ぼくはアユムの口からききたいのだ。

「GIDの場合は自分の肉体的な性への違和感が、まず最初にあるんだ。ぼくの場合でいえば、自分は男なのになぜ、立小便もできないし、胸なんかおおきくなるんだろうって。ものすごくうんざりするんだよね、女の身体って。妊娠初期の脳が発達する過程で、脳の性って決まるらしいんだけど、それが身体の性とずれちゃってるんだ」

　ぼくは軽く手をあげて、アユムをとめた。

「そのことなんだけど、頭とか心のほうを肉体的な性別にあわせることはできないのかな」

　そちらのほうがはるかに負担もすくないし、周囲との困難もなくなるだろう。アユムはゆっくりと首を横に振る。

「ダメなんだ。ぼくもカウンセラーにきいたことがある。苦しくてたまらないから、クスリかなにかで心のほうを変えることはできないのかって」

　メグミがうなずきながらきいていた。自分の好きな男を必死に見つめる女性の視線というのは、それだけで魅力的だ。

「こたえはノーだった。そんなクスリは存在しないし、これまでのところ精神のほうを肉体の性にあわせられた例は一件も報告されていないんだって。だから、障害なんだよ」

　ここにも人間の不思議があった。肉体は心をのせる器にすぎない。心のほうが身体よりも先にあるのだ。

「そうなんだ。じゃあ、同性愛の場合は」

アユムはこうしたことを何度も考え抜いたようだった。言葉が流れるようにでてくる。

「それは恋愛や欲望のむかう対象が同性であるってことなんだ。だから、自分の身体には違和感がなくて、男性のまま男性を、女性のまま女性を愛したりできる。もちろん同性愛とＧＩＤが重なることがあるけどね」

メグミが横から口をだした。

「ほら、山崎さんのこと」

アユムがうなずいていった。

「ぼくが顔をだしているＧＩＤの会に、山崎さんていうＭＴＦの人がいるんだ。運送会社に勤めていて、男として結婚して十年にもなるんだけど、ある日トランスしたんだよ。今では手術もすませて女性になってるんだけど、奥さんとは結婚したままなんだ。山崎さんの場合、自分の身体の性には違和感があるんだけど、恋愛の対象は女性なんだ。自分は究極のレズビアンなのかもしれないって笑ってるよ」

「ちょっと待って。じゃあ、ＧＩＤでも同性愛ではない人もいるんだ」

アユムも肩をすくめて、笑顔になった。

「そこのところは複雑だなあ。だって、法律上では戸籍のうえでさえ、性別を変えることはできるんだよ。ちゃんとホルモン注射を打って、手術をすませて、戸籍まで男になったら、ぼくは誰がなんといっても男だ。そういう場合は、同性愛じゃなくて、普通のヘテロセクシュアルになるんじゃないかな」

アユムの話は予想外の連続だった。かなり性についてオープンだと思っていたぼくでさえ、ついていくのがやっとである。

「戸籍を変えるのか」

アユムはしっかりとうなずいた。

「ぼくの最終的な目標はそこにあるんだ。戸籍を変更して、男性になりたい。そして……」

アユムはとなりにいるメグミのほうを見た。

「きちんと結婚して、普通の家庭をもちたい。残念ながら、子どもはつくれないけどね。でも、養子はもらえるし」

メグミとのあいだで、そんな話まですすんでいたのか。ぼくはすこし驚いていた。

「普通の家庭ね。なんだか、アユムを見ているとなにが普通なのかよくわからなくなるな」

「うん。ぼくにもときどき自分がなにをしているのか、よくわからないことがある。でもね、法律のほうではちゃんと手続きが決まってるんだ」

男から女へ、女から男へと自分をトランスさせるための法律上の手続き。性と法律というのがまったくそぐわない気がした。

「それをアユムは始めているんだよね」

「気が遠くなるほど、たいへんだけれど、やってはいるよ。戸籍を変えるには、むっつの条件を満たしていなければいけないんだ」

さすがに法律というのは、面倒である。

「メモはとらないけど、きいてるよ。話してくれ」

アユムはぼくの冗談にかするような笑顔を見せた。

「まず前提条件として、ふたり以上の専門医に性同一性障害と認められること。これは子どものころからの苦しい経験を話したり、作文を提出したり、テストを受けたりと、けっこうたいへんなんだ。GIDの場合、二次障害で鬱になったりしてる人もいるから」

「ひとつの障害がつぎの障害を生んだりするんだ」

アユムの声が低くなった。

「そうだよ。なかには二次障害のほうが重い人もいる」

普通に生きているだけでも、人生はかなりの重さだった。そのうえさらに障害を抱えて歩いていく。しかも障害がつぎの障害を呼ぶこともある。ぼくは目のまえの妖精のような少年を見直していた。

「アユムは強いな。感心したよ」

頰をすこし赤らめて、アユムはぶっきらぼうにいった。

「先生からＧＩＤだと診断がでたら、あとの条件はいつつ。まず、二十歳以上の成人であること。結婚していないこと。未成年の子どもがいないこと。このみっつは、ぼくの場合問題ないんだ。でも、ここから先はたいへんになる」

大人で、未婚で、子どももなし。それならハードルは高くはないのではないだろうか。

「いまのみっつなら、どれもそれほどむずかしくないように思えるけど、違うの」

アユムは眉をひそめた。

「深刻なのは、子どもの問題だよ。結婚して子どもがいる人はダメなんだ」

「子どもがいるだけでダメなのか」

「そう。未成年の子どもがいると今の法律では、シャットアウトなんだよね。親の性が変わると子どもが混乱するということなのかな。そういう人たちは反対の声をあげてるけど」

「残りふたつのたいへんなのはなに」

アユムはあっさりといった。

「手術だよ。ぼくの場合は、胸と下。性別変更の条件の残りは、生殖腺の除去と外性器の様子が異性に似てることだから。でもお金だってすごくかかるし、手術だってぜんぜん簡単じゃない」

　メグミが心配そうに声をおおきくしたアユムを眺めていた。

「アユムくん、落ち着いて。ここレストランだよ」

　ひとつ離れたテーブルで主婦の四人組が、アユムを興味深そうに見つめていた。きっと男か女のどちらだろうとでも話しているのだろう。アユムは歯をのぞかせて獰猛な笑顔を見せた。主婦たちは目をそらせ、なにか低い声でささやいている。

「胸は乳房を切ってなかの組織をとりのぞき、皮膚と乳首をまたもどすことになるんだけど、これにも危険があるんだ」

　ぼくはまったく見当はずれのことをいってみた。

「最近は女性の豊胸手術が流行ってるけど、あれは簡単なんじゃないのかな」

　アユムが肩をすくめた。

「なにかをいれるのと、身体のなかの組織をとってしまうのは、まったく違うんだ。これだけ医療技術がすすんでいても、血管がうまくつながらずに乳首が壊死《えし》してしまう危険性は十パーセントくらいあるっていっていた。自分の乳首が腐って落ちるんだよ。簡単なほうの胸でもそれくらいだから、下のほうの手術はもっとたいへんだ」

　もって生まれた心の性にもどるだけなのに、それほどの危険がある。なんだかため息のでるような話だった。

エベレストにのぼったり、ロケットで月にいったりするのではなく、ほんとうの冒険は、ぼくたちの身体のなかにある。ぼくたちはみな性という大冒険を生きているのかもしれなかった。

「それでも、アユムは男になりたいんだ」

「うん」

うなずいてから、メグミに目をやった。

「それで、ぼく本来の性になって、きちんと人を愛してみたい」

そこまでいうのなら、ぼくにはなにもいうことはなかった。

「うちの父親は手術にはまだ反対なんだけどね。男って頑固だから」

これから男になるというアユムがいうと、なんでもない言葉にも微妙なニュアンスがあった。メグミもぼくも思わず笑ってしまった。

「性転換にまえむきなのも、メグミとのつきあいが真剣なのも、わかった。でも、うちはちいさなクラブだ。仕事とプライベートはきちんとわけて、つきあってほしい。ふたりが気まずくなると、事務所の空気も悪くなりそうだから。気をつけてほしい」

「はい」

メグミとアユムの返事がそろった。ぼくはきかなくてもいいことをきいた。

「メグミはアユムが娼夫の仕事をしていることは、かまわないのか」

アユムは人気も上々で、この仕事を始めてすぐに固定客をつかんでいた。ベッドではどんなふうにしているのかきいたことがあったが、返事は「普通ですよ」だけだった。メグミはつないだ手に視線を落とした。

「ええ、それは仕事だからだいじょうぶ。リョウくんのときにも同じことを感じたし、もう慣れちゃった。彼には生活費だけでなく、手術費用やホルモン注射の代金が必要だし、いつかふたりで暮らすためのお金もためなくちゃいけないし、がんばってもらわなくちゃね」

そういって、メグミは目を細めて笑った。がんばって仕事をするというのは、娼夫の場合たくさんの女性客と寝ることだった。このふたりのあいだにも、不思議な形のねじれがある。だが、それが現在進行形の恋愛なのかもしれない。

「わかった。じゃあ、今までどおりうちのクラブをしっかり盛りあげていこう」

ウエイターに会計を頼もうとしたとき、ジャケットの内ポケットで携帯電話が震えだした。着信を確かめると咲良からだった。咲良は口がきけない。メールではなく、電話というのはめずらしかった。席を立ち携帯を開いて、レストランの外のロビーにでる。

「もしもし、咲良なのか」

返ってきたのはアズマの声だった。

「リョウさん、ぼくだよ。今、弁護士から連絡がはいった。静香さんが十一月にでてくることになったんだ」

「そうか、とうとうだな」

「咲良さんはおおよろこびしてるよ。そっちのほうはどんな調子」

ぼくはレストランのほうを振りむいた。ふたりは見つめあって、なにか話している。アユムが冗談でもいったようだった。メグミは困った顔で笑っている。障害が多いほど恋愛の熱量はあがるというから、メグミとアユムの場合嫌でも熱くなってしまうのだろう。

「あれこれと話をきいた。ふたりとも真剣なようだし、あのふたりがつきあうのは、アズマとしては別に問題ないよね」

アズマはなにがあっても超然としている。

「ぜんぜん気にならない。というより、リョウさんよりも先に、ぼくのほうがあのふたりおかしいなって、気づいていたもの」

少年のような笑い声をあげた。ぼくは自分だけでなく他人の恋愛にも鈍感なのだ。

「あっ、肝心の用件を忘れてた。それでさ、咲良さんがいうんだよ。せっかくだからまえ祝いをしないかって。ぼくたちはもう、したのロビーにきているんだ。これからエレベーターであがるから、バーで乾杯でもしない？」

ぼくは午後の日ざしが落ちる渋谷の街を見おろしていた。四十階から見ると、渋谷駅もデパートもセンター街のゲートも、すべておもちゃのようだった。

(来月、静香さんが帰ってくる)

ぼくは深く息を吐いて、気もちを落ち着かせた。涙があふれそうだった。アズマにいった。

「わかった。ふたりにも話しておく」

底抜けに陽気な声が返ってきた。

「でも、うれしいなあ。これでうちのクラブのメインキャストが全部そろうんだもん。やっぱり静香さんがいなくちゃ、『クラブ・パッション』らしくないや」

ぼくは笑って、そうだなといった。うちのボーイズクラブは御堂静香が始め、すべての形をつくりあげた。ぼくは成功の軌道をなぞっているにすぎない。なによりも、母に似た彼女にまた会えるのがうれしかった。

「そうだね、ずっと不在だったけれど、うちのクラブの精神的な柱は静香さんだった」

アズマが笑った。

「そう、あの人、すごく厳しくて、やり手だったから。リョウさんとは反対だ。エレベーターがきたよ。じゃあ、あとでね」

ぼくは通話を切って、明るい窓にむかった。都心がすべて一望にできる窓だった。ここに御堂静香が帰ってくれば、欠けているものはなにもない。クラブもパーフェクトになるだろう。ちいさく声が漏れてしまった。

「お帰りなさい、静香さん」

だが、ぼくはそのとき気づいていなかった。御堂静香の帰還は、長く続く苦しい終わりの始まりだったのである。

25

十一月にはいったばかりのその日、「ル・クラブ・パッション」は臨時休業となった。

代官山の事務所を大掃除して、白い部屋には白の花をあちこちに飾る。白いバラに、白いカーネーションに、白いチューリップ。ユリはあまりに香りが強いので、はずしておいた。ぼくたちはみな胸に花束を抱えて、駅まえの花屋から帰ってきたのだ。永らく不在だったこのクラブのオーナーがもどってくる。ぼくだけでなく、ほかの誰もが興奮しているようだった。

八王子の医療刑務所まで、咲良といっしょに御堂静香を迎えにいくつもりだった。けれどもぼくの提案は、本人によって断られてしまった。檻をでたばかりで、化粧も着替えもしていないところを見られるのが、きっと嫌なのかもしれない。御堂静香は複雑なところがある人だったから、ぼくはあまりそのことを深く考えてはいなかった。

よく晴れた小春日和の午後だった。近くの店でランチを終えると、咲良をのぞく主要メンバーの全員が、事務所で待機を始めた。オーナーを迎えるのだ。ぼくは全員にきちんとした格好でくるように伝えていた。

アズマはタキシードの上下。したに着ているのは薄手のグレイのタートルネックだった。この娼夫のセンスはぼくにはいつもいいお手本である。ぼくはピンストライプの紺のスーツ。インナーは御堂静香から初めてプレゼントされたボーダーのカットソーだ。目の早い彼女が、このアニエスb.を見逃すはずがない。どんな顔をするか、ぼくの胸は弾んでいた。

落ち着かない様子だったのは、アユムとメグミだった。ふたりとも御堂静香とは初対面である。アユムはバーテンダーのときと同じ黒服姿だった。紅一点のメグミだけがやわらかな雰囲気の服装だ。Aラインのフェミニンなツイードのワンピースに秋色のカーディガンである。

「……ねえ、リョウくん」

メグミがうつむいたまま、ぼくの名を呼んだ。アユムは白いソファのとなりで、メグミの手をにぎっている。アズマは音を消したポータブルのゲーム機でＲＰＧに熱中していた。

「なあに」

ぼくはひどく落ち着かない気分だった。今にも御堂静香があらわれそうな気がしてしかたなかった。オーナーとは一度も身体を重ねたことはない。だが、彼女はぼくにとって母親と恋人をあわせたような存在だった。あこがれとも、心を支える柱といってもいい。クラブを再開してから、何度も運営に迷ったことがあった。そのたびに彼女ならどうするだろうかと、頭のなかでシミュレーションを繰り返してきたのだ。御堂静香が考え抜いてつくったシステムがなければ、どれほど売れっ子の娼夫でもこのクラブを動かしていくのは困難だっただろう。

「わたしはやっぱり、今日は失礼したほうがいいんじゃないかな」

メグミの表情は暗かった。ぼくはちいさな新聞記事を思いだした。一年数カ月まえの夏の終わり。メグミの通報によって、「ル・クラブ・パッション」は警察の手入れを受けた。御堂静香は逮捕され起訴されたし、不法な手段によって蓄積された利益は没収されている。もっともそれはそんなときのために準備しておいた、あらかじめつくられた表の帳簿の分だけである。

「だいじょうぶだ。静香さんには、手紙できちんと伝えてある。メグミが想像しているよりは、ずっと冷静で強い人だから、心配ない」

ぱちりとゲーム機を閉じて、アズマがいった。

「そうだね。それよりもいつまでもうじうじして、クラブのなかの雰囲気が悪くなるほうが静香さんはいらつくと思うよ。さっさと謝って、あとは実際の仕事で誠意を見せればいいんじゃないかな。だって、咲良さんひとりじゃクラブをまわしていけないんだからさ」

咲良には電話の応対ができなかった。

「静香さんがいなかったあいだ、メグミはよく咲良を助けてくれた。そのことは咲良からもちゃんと伝わっていると思う」

「ぼくはどうしたらいいですか」

反応せずにはいられない声が響いた。アユムの一番の魅力は独特の声なのかもしれない。アズマは肩をすくめて、ゲームを再開した。ぼくはいった。

「アユムくんはそのままでいいよ。リラックスして、楽にしていて」

アズマは関心なさそうにいう。

「そう、アユムはそのままでネタがたくさんあるから、ぜんぜんだいじょうぶ」

いつものＧＩＤを題材にしたジョークだった。なかなか厳しいけれど、アズマ自身が障害を気にもとめていないので、アユムも苦笑いするだけだった。ぼくは腕時計に目をやった。ハイヤーは午前中に八王子に到着しているはずだ。昼食をすませ、いったん咲良の部屋に帰宅し着替えてからふたりはこちらにやってくる。まだしばらくは時間がかかるだろう。

しかたなく大学のテキストを読み始めた。国際金融論になど、髪の毛一本の興味もなかったけれど、ぼくはこのクラブを継ぐまえにきちんと大学を卒業することを、御堂静香と約束していたのだ。

あの人との約束は、なにがあっても守らなければいけなかった。

26

チャイムが鳴ったのは、午後三時すぎのことだった。全員立ちあがって玄関にむかったが、咲良が鍵をつかうほうが早かった。開いたままの戸口に御堂静香が立っていた。ぼくは彼女を見た瞬間に、なにかよくないことが起きていると直感した。

御堂静香は体重をすこし落としてしまったようだった。もともと大柄なので、身体つきを見ただけではわからないくらいだが、あきらかに顔の線がシャープになっている。肌も檻のなかの環境のせいか乾いていた。あそこでは高級な化粧水やクリームなどつかえないから無理ないかもしれない。ぼくが好きだった目じりのしわや法令線《ほうれいせん》も一段と深くなっている。ひと言でいうなら、一年とすこしではなく五年も年をとってしまったようだった。

「あら、ずいぶんたくさんでお迎えね」

それでも、深みのある落ち着いた声といつもなにかを皮肉におもしろがる目は変わっていなかった。ぼくはどんな客にも見せたことのない笑顔をつくった。無理して笑わなければ、涙がでてきそうだったのだ。

「お帰りなさい、静香さん」

手をさしだした。御堂静香も手を伸ばす。ぼくは記憶にあるよりも冷たい手を引いて、事務所のなかに案内した。うしろにはメンバーが続いている。あちこちに花の飾られた白い部屋を見て、オーナーがいった。

「今度の事務所はずいぶん無機質なのね。でも、とてもきれい。独房とは大違いね」

独房のひと言でおずおずとした笑い声が起きる。ぼくは御堂静香を中央のソファに座らせた。いつもなら姿勢のいい彼女が、すぐにソファの背に身体をあずけてしまう。

咲良は心配そうにとなりでちいさくなった。

「疲れていませんか。だいじょうぶですか」

御堂静香は片手をあげて、ぼくに笑ってみせた。枯れた花のような笑いだ。

「メグミ、こっちにきてくれ」

部屋の隅で両手をまえに組んで立っているメグミを呼んだ。

「彼女が白崎恵さん。ぼくの大学の同期で、新しい『クラブ・パッション』で咲良の片腕として働いてくれています」

メグミは緊張した顔つきで、ぺこりと頭をさげた。

「それから、あの、去年の夏、警察に……」

御堂静香はゆっくりとうなずいて、メグミをとめた。

「わかっています。あなたがしたことも、そのあとのこともきいている。これからもしっかりとクラブを支えてください」

メグミは硬い表情のままだったが、御堂静香は目を細めて自分の娘でも見るようにメグミを眺めていた。口元には穏やかな笑いが浮かんでいる。ぼくはここでまた嫌な感じがした。御堂静香は冷たくて、刺すように皮肉で、軽やかでいつも豪華だった。こんなふうなすべてを受けいれるという笑顔を簡単に見せるような人ではなかったはずだ。檻のなかの時間が彼女を深いところで変えてしまったのだろうか。

メグミのうしろから、アユムがすすみでた。

「ぼくは新米のメンバーです。アユムといいます。このクラブで働きながらお金をためて、性別適合手術と……」

アユムはちらりととなりに立つメグミに目をやった。一瞬視線がからむだけで、恋人同士の空気が立ちこめる。

「メグミさんとの結婚を目指しています」

御堂静香はひどく寛大な王様のようだった。

「そう、あなたが新しいスペシャルな子ね。リョウくんはスカウトの才能もあったのかな。これで安心ね。がんばってください」

ひどく疲れてはいるようだが、御堂静香は驚くほどやさしかった。久しぶりの対面は春風のようにスムーズに運んでいく。だが、時間がたつにつれて、ぼくのなかで違和感がふくらんでいった。アズマがいった。

「ビンテージもののシャンパンが冷やしてあるんだ。静香さんが帰ってきたお祝いをしようよ」

ざわざわとみんなが動きだした。誰かがB&Oのステレオで、モーツァルトのハ長調のクインテットをかけた。チーズとクラッカーとチョコレートが用意され、人数分のチューリップグラスがセンターテーブルにならんだ。

御堂静香は王族のようにソファにもたれているだけだった。その場にいる者すべてを祝福して受けいれる寛大な笑い。ぼくは不思議に思い、となりの咲良に目をやった。咲良は口がきけない代わりに、目であらゆる感情を伝えることができる。

咲良の目が叫んでいた。絶望と悲しみ。なにかとりかえしのつかないことが始まってしまったという感覚。

「みんなにグラスがまわったかな」

アズマが陽気にさわいでいる。シャンパンのグラスは妙に冷たかった。

「じゃあ、乾杯」

ぼくも乾杯といって、グラスをかかげた。ひと口だけのんだビンテージのシャンパンは、なぜかひどく苦かった。

27

歓迎会は一時間ほどでお開きになった。

御堂静香は後半から、ひどく疲れた様子だった。帰り仕度をするメンバーにいう。

「咲良とリョウくんはちょっと残ってくれない。話があるの」

ぼくがうなずくと、アズマがいった。

「ないしょ話か、いいなあ。ぼくたちは代官山のバーにでもいってのみ直すから、あとで合流してよ」

晩秋の日もまだ明るい四時すぎである。天窓から熟れた黄金色の光りがふってくる。白い部屋はかすかにオレンジに染まっていた。御堂静香と咲良が座るソファのむかいにぼくは腰をおろした。三人がいってしまうと、この部屋は急に恐ろしいほど静かになった。

御堂静香は昔のようにいじわるな笑顔を見せた。

「最初に裏の帳簿を見せてもらおうかな。クラブのほうはうまくいってるの」

咲良がノートパソコンをもってやってきた。クラブを再開してからの日々の収支が記載されている。ファイルはいざというときには、ワンクリックで完全に消去されるのだ。スクロールして数字を読むと、オーナーはうなずいた。

「悪くない。あなたがただけにしては、よくやっている。でも、昔のお客さまをもうすこし呼びもどせるかな。明日から、わたしも営業の電話をかけてみる」

ぼくはパソコンをテーブルからとりあげ、ディスプレイを閉じてしまった。

「そんなことはどうでもいいです。それより、静香さん、いったいどうしたんですか」

　疲れた顔で彼女はぼくを見た。

「あら、やっぱりナンバーワンは女を見る目があるのね。リョウくんに隠しておくのは、むずかしいな」

　咲良がこらえ切れなくなったようだ。母親のほうをじっと見つめたまま、涙を落とした。胸が痛むほど嫌な予感は、生まれてから三度目だった。最初はぼくの母が倒れたと父にきかされたとき。二度目はクラブに警察の手がはいったとき。ぼくは三度目の衝撃にそなえて、身体を硬くした。御堂静香はまたあの胸騒ぎのする笑顔を見せていう。

「わたしのＨＩＶのことは、リョウくんもわかっているよね」

　ぼくは御堂静香の身体を求めたことがあった。そのときは感染症のために拒絶されている。

「事実だけいいます。医療刑務所に収監されて、三カ月くらいたったころかな。わたしはエイズを発症した」

　ぼくの声は悲鳴になった。

「でも、今ではいい薬があるんですよね。カクテル療法でしたっけ。ＨＩＶは治らないけれど、死ぬような病気じゃない。静香さんだって、そういっていたじゃないですか」

咲良が母親の手をとって、自分の胸に抱いた。乾いた手の甲を涙が濡らす。

「正確にはHAART、多剤併用療法ね。薬はきちんとなかでものんでいたけれど、環境が激変して、身体にはひどいストレスがかかっていたの。わたしの免疫力はがたんと落ちてしまった」

ぼくは夕日のなか、やつれた御堂静香の顔を見つめた。枯れる直前の白い花が重なってしまう。大人の女性の声が抑揚もなく続いた。

「耐性ウイルス……が生まれてしまった」

御堂静香はぼくを見て笑い、咲良のひざを軽くたたいた。ぼくたちはなにもいえなかった。耐性ウイルスという死神の名前を、胸に刻むだけだ。あらゆる薬に耐えて増殖する強力なHIV。

「医者はあれこれと手を打ってくれた。薬の量を増やしたり、組みあわせを変えたりね。でも、一度このウイルスが増えてしまったら、根本的な治療はむずかしい」

ぼくは御堂静香を見ていられなくなった。目を伏せて、白い床にいう。

「それで、やせてしまったんですか」

「そうね。三キロくらい落ちたかな。健康でやせたのなら、バンザイという感じだけど。この年になるとなかなかダイエットはたいへんだから」

御堂静香は乾いた笑い声をあげた。枯葉がこすれるような淋しい音だ。

「ごめんね。せっかくみんなとまたいっしょに仕事ができると思ったんだけど」

「でも、まだ時間はあるんですよね」

御堂静香は少女のようにこくりとうなずいてみせる。

「そう、あるみたい。でも、それは年単位でなくて、月単位なの」

心がしびれて動かなくなった。ぼくはソファを立ちあがり、御堂静香のとなりに座った。咲良は声を殺して泣いている。御堂静香は娘の肩を抱き、意志の力で笑っていた。ぼくは御堂静香の手をにぎり、自分が泣けたらどれだけ楽になるか考えていた。

 なぜ、ぼくの人生にはこんなことが起きるのだろうか。最初は小学生で、二度目は大学生、ふたりの母を立て続けに失うのだ。だが、この状況で誰よりもつらいのは、御堂静香当人だろう。四十代という女性としては美しさの穏やかな頂点で、おしまいのときを迎えるのだ。

ぼくは歓迎会で、御堂静香がメグミに見せた表情を思いだした。ようやく、あのときの笑顔の違和感の理由に気づく。檻のなかの生活のストレスがなければ、耐性ウイルスは出現しなかったかもしれない。メグミは警察への通報の張本人である。その相手を許し、受けいれたのだ。恐ろしいほどの強さに、ぼくが違和感を感じたのも当然だった。

御堂静香はどこか井戸の底から響いてくるような声でいった。

「残された時間は短いかもしれない。でも、精いっぱい素敵な時間にしましょう。咲良、あなたは自慢の娘です。とてもいい子ね」

御堂静香が咲良の黒髪の頭をなでた。咲良の涙はとまらなかった。ぼくのほうをむいて、笑った。

「リョウくん、あなたはひとりきりの息子です。人生の最後にあなたに会えてよかった。咲良とわたしのことをよろしくね。あなたはどんなことがあっても、耐えられる強い人になって」

御堂静香の目を見た。涙はなかった。乾いた明るい光りがある。口元にはすべてを受けいれるという笑いが刻まれていた。ぼくは目にいっぱいの涙を、なんとか落とさずにこらえた。ただ泣いてしまうよりもずっと苦しいことだった。だが、御堂静香の苦しみのまえでは、ぼく自身のことなどなんでもなかった。涙などすべて自分の心の檻のなかに閉じこめてしまえばいい。

ぼくは御堂静香の肩を抱き、決心した。

この母と娘を大切にしよう。ぼくの身体と心のすべてをつかって、ふたりを守ろう。残された時間は短いかもしれないが、全力でふたりの時間を満たそう。

そう決めると、ぼくの目から涙はすぐに乾いていった。悲しみにつかうには、ぼくたちの時間は貴重すぎるのだ。

28

自宅に帰るという咲良と御堂静香をタクシーにのせてから、ぼくは代官山の裏通りにあるバーにむかった。ガラスの扉を押して、アコースティックのジャズがかかるフロアにおりていく。まだ会社員の就業時間中で、こんな時間にワインをのんでいるのは、うちのクラブのメンバーだけだった。円テーブルをかこむ三人に近づいていった。

「なんだ。咲良さんや静香さんは、帰っちゃったんだ」

いくらのんでも顔にでないアズマの目が、とろりとゆるんでいた。もうずいぶんグラスを空けたようだ。ぼくは籐《とう》の椅子に腰をおろし、ウエイターに頼んだ。

「ラフロイグのオンザロック」

強い酒をのみたかった。心に鞭を打つようなアルコールがいい。

「だけど、よかった。静香さんってやさしい人だったなあ」

メグミはフルーツいりのカクテルをのんでいるようだ。

「ああ、ほんと、久しぶりに大人のカッコいい女を見たっていう感じ。ぼくはああいう人けっこうタイプだ」

アユムがそういうと、メグミはふざけて肩をたたいた。届いたオンザロックをぼくはひと息で空けてしまった。アズマが心配そうにいった。

「なにがあったの。さっきから、リョウさん、おかしいよ」

隠しておくことはできないだろう。御堂静香にも病気のことを伝えると話して、了解を得ていた。ぼくはスコッチのお代わりをすると切りだした。

「みんな、よくきいてほしい」

ぼくの声の調子にただならないものを感じたようだった。三人の厳しい視線が集まった。

「静香さんがエイズを発症した」

誰もが黙りこんでしまう。フォービートのベースラインだけが、静かなバーを満たしていた。

「耐性ウイルスが生まれてしまった。もう薬の効果は期待できないそうだ」

アズマの目が泳いでいた。救いを求めるようにいう。

「だけど、あれって十年とかかかるんだよね」

ぼくは刑務所内のストレスの一件を飛ばして話した。

「それは潜伏期間だよ。いくつかの薬を組みあわせて、血中のウイルス濃度を抑えていたんだ。静香さんはずっとその療法を受けていたけれど、どの薬にも耐えられる強いウイルスがでてきてしまった」

アユムがざらついた声でいう。

「だけど、まだ時間はあるんだろ、その、何年もさ」

いきなり衝撃を投げつけられたときの人間の反応は、誰でもさして変わらないようだった。

「静香さんから直接きいた。残された時間は月単位だそうだ」

テーブルに沈黙が積もっていくようだった。新しいオンザロックが届いた。ぼくはグラスに手をだすまえに、テーブルに額を押しつけた。しばらく頭をさげている。

「お願いだ。みんなの力を貸してくれ」

「やめてよ、リョウさん」

アズマがぼくの肩に手をおいた。顔をあげていった。

「静香さんに残された時間は、ほんのわずかかもしれない。でも、その時間を最高のものにしてあげたいんだ。うちのクラブ全員で、一番いい思い出を静香さんにプレゼントしたい」

三人はそれぞれ別な方法でうなずいた。アユムは男らしくしっかりと、メグミは目に涙をためて何度も、アズマはあごの先だけでこくりと。誰の目にも同じ真剣さがのぞいている。

「通常のクラブの営業をこなしながら、できるだけ静香さんをなぐさめてあげたいと思うんだ。それにはみんなの協力が必要だ。これからの時間を静香さんを送るための長いお祭りにしようと、ぼくは思っている」

アユムが泣いているメグミのほうを見ていった。

「長くながく続くフェスティバルか。悪くないな。メグミもあんまり泣いて、湿っぽくしないようにしたほうがいいよ」

ハンカチに涙を吸わせて、メグミはうなずく。

「うん、今日、思い切り泣いたら、もう明日からは絶対泣かない」

アズマがくすりと笑っていった。

「でも、リョウさんってさ、静香さんのことになるといつもすごくむきになるよね。あんまりがんばりすぎて、自分が倒れないようにね。ほんとは、あの人のこと大好きなんでしょう」

ぼくは笑ってこたえなかった。オンザロックを手にして、強い酒で気合をいれる。明日からはすくなくとも、彼女といっしょにすごせるのだ。

だが、そのときのぼくには御堂静香との冬が、これほど短く終わるとは想像もできずにいた。

29

御堂静香が帰ってからの日々は、ゆったりと静かなものだった。

なにかが終わるときには、時間の流れさえゆるやかになるのかもしれない。それはおおきな川の河口の景色のようだった。濁った水はじりじりと流れているのだろうが、その速さは目に見えない。押しとどめるのが不可能な力で、いつかぼくたちが帰らなければならない場所、あの暗い海へとただ流されていく。ひりひりと心のおもてに見えない傷が残るような時間だった。

白い革張りのソファ、そこが御堂静香の指定席だった。耐性ウイルスのせいで、疲れやすく体力が落ちていた。終日代官山にあるクラブで横になっていることが多かったのである。ぼくと咲良がその足元の床に座り、オーナーの面倒を見る。

彼女のまわりにはたくさんのものが飾られていた。うちのクラブのメンバーが、あちこちにでかけた帰りに、御堂静香が気にいりそうなものがあるとおみやげに買ってきたのだ。それは大小のぬいぐるみであったり、写真立てであったり、キャンドルだったり、ドライフラワーだったりした。どれもかわいさより、シックな雰囲気で選ばれたものだった。白いソファは祭壇のように、生者への供えもので飾られていた。

季節は十二月にはいり、外は北風が吹いている。あたたかにエアコンが利いた真っ白な部屋のなか、ぼくは御堂静香の低い声に耳を澄ませた。おたがいのあいだで視線と笑顔が交わされる。ときには咲良と三人で手をとりあい、相手を気づかっているのだということ以外なんの意味もない会話をする。そのときの様子をアズマに何枚も撮ってもらったけれど、プリントした写真にはあの幸福な空気は写っていなかった。

きっとぼくたちの幸福はカメラで写すにはデリケートすぎるものだったのだろう。


「今度のお客さんは、わたしの古い友達よ」

御堂静香がそういったのは、十二月の第一週の終わりだった。ボーイズクラブの事務所には、控えめにJ・S・バッハのクリスマス・オラトリオが流れていた。胸が澄んで、静かになるような音楽だ。

「へえ、そうなんですか」

ぼくは枯れ枝のように関節の浮いた指をにぎって、そういった。

「リョウくんのことは、うちのクラブの次期オーナーで、ナンバーワンの凄腕だって話してある」

咲良はぼくのとなりで笑っているだけだった。

「お客さまの期待値をそんなにあげるのは、いい作戦とは思えないけど」

御堂静香は手を離すと、ぼくの頭に手をおいた。細い指が髪のあいだを抜けていく。

「リョウくんなら、だいじょうぶ。あなたはこれまでわたしの期待を裏切ったことはなかった。いつだって、予想以上の結果をだしてきた。ほんとうに自慢の息子よ」

じっとぼくたちを見つめていた咲良がホワイトボードをつかった。うつむくと涙がひとつ落ちたけれど、ぼくは気づかない振りをした。

［お客さまは曜子《ようこ》さん。セルリアンタワーのラウンジで六時］

御堂静香の友達から指名されるのは、初めてのことだった。ぼくのしらない若いころの秘密をいくつかききだせるかもしれない。

「了解。着替えて、先にでます」

白い部屋には、白い服があう。ぼくは白のセーターとホワイトジーンズ姿だった。御堂静香もふんわりとしたオフホワイトのAラインのワンピースでソファに横になっている。ぼくは彼女を頼むという気もちをこめて、咲良に目配せした。

それから仕事用のスーツに着替えるため、奥の部屋にむかった。

30

代官山のオフィスから渋谷のセルリアンタワーまでは、タクシーでワンメーターの距離だった。車寄せではドアマンが頭上に手をかざしてくれた。

「いらっしゃいませ。お気をつけください」

よく磨いた黒い革靴のつま先から、タクシーをおりた。自動ドアを抜けて、ロビーにはいる。まだ新しいホテルと新規の客、ぼくはどちらに緊張しているのだろうか。ステップを数段おりて、ラウンジにはいった。パノラマウインドウのむこうには、箱庭のようにちいさな日本庭園が見えた。先にぼくに気づいたのは、ヨーコさんのほうだった。右手をあげて、にっこりと笑う。ぼくはソファ席のむかいに座るまえに、軽く頭をさげた。

「初めまして、リョウです。今日はよろしくお願いします」

ヨーコさんは頭から足先まで、さっと掃くようにぼくに視線を走らせた。

「いいから、座って。ていねいに挨拶なんかされたら、わたしまでお行儀よくなっちゃうから」

　年齢は御堂静香と同じ四十代後半だろうか。襟元や裾を裁ち落とした高価なシャネルスーツだった。日本人ではめったに似あわない厚手の生地の冬物だ。ヨーコさんはそれをざっくりとラフに着こなしている。胸が広くのぞいているのは、したにビスチェかキャミソールしか着ていないのだろう。宝石はシンプルな一粒だけの真珠のネックレスだった。チェーンはクモの糸のように細いプラチナだ。

「ねえ、わたしのことレイちゃんから、なんてきいたの」

　ヨーコさんは御堂静香の本名を呼んだ。

「別になにも。古くからの友達だっていわれただけです」

「なんだ、それだけなんだ」

　ウエイターがやってきて、テーブルにメニューをおいた。ヨーコさんはそれを押し返していった。

「もういくから、追加の注文はいいわ」

　ちいさなクラッチバッグをもって、彼女は立ちあがった。ぼくも着いたばかりの席を離れる。

「うえの日本料理屋さんに、予約をいれてあるから」

　ヨーコさんが伝票にサインをすませると、ぼくたちは二階にあがった。エスカレーターもあるのだが、わざと人のすくない階段をつかった。そのあいだだけ指先をつないだ。この人はきっと、ベッドでも素敵なセンスをしているのだろう。始まりの三分間で、ほぼ間違いのない判断はくだせるものだ。控えめにいって、新規の客の印象はとてもよかった。


天井までは四メートルほどあるだろうか。その店は日本料理の老舗《しにせ》がだしているセカンドラインの店だった。点々と配置されたテーブル席のあいだを、和服の給仕が静かに動きまわっている。料理のコースはすでに注文ずみだった。

「ウエルカムシャンパンでも、のみましょうか」

ヨーコさんがそういって、シャンパンから始めることになった。ぼくはプロの娼夫らしくないことを最初にきいてしまった。

「あの、若いころの静香さんって、どんな感じだったんですか」

客の話したいことではなく、自分のしりたいことをきく。ぼくが教官なら、ダメだしをするところだ。苦笑して、ヨーコさんはいった。

「ふーん、やっぱりねえ」

シャンパンをひと口のんだ。果実の香りと炭酸の酸味と無敵のアルコール。不思議なのみものだ。頰づえをついてあきれたヨーコさんにぼくも笑ってしまった。

「なにがやっぱりなんですか」

「だって、レイちゃんがあまり何度も、特別な男の子だ、あの子は特別なんだっていうから、おかしいなと思って」

ぼくは面映《おもは》ゆくも誇らしい気もちでいっぱいになった。

「それでリョウくんのほうは、口を開いたらすぐに静香さんはでしょう。やってられないなあ。そんなに相思相愛だと」

口ぶりはいじわるだが、ヨーコさんの目は笑っていた。

「わたしたちは学生時代からの悪友だった。ほら、あの大学」

ヨーコさんはお嬢さま学校としてしられた女子大の名前をあげた。

「ディスコで朝まで踊って、帰りに誰かに引っかけられた振りをする。でも、実際にはこっちのほうがエサを撒《ま》いて、つりあげているんだけどね。そんなことを毎晩のようにやっていたなあ。あのころのディスコって、男性客対策でかわいい子はみんなタダだったんだ。お料理もお腹にたまるようなものがたくさんあったし、ごはんと遊びと恋と全部一カ所で間にあってしまったの。学校にいるより、ディスコにいる時間のほうが長かったんじゃないかな」

そのころのディスコで、踊る御堂静香を見てみたかった。ニュースフィルムで見るように、やはりミニスカートをはいて、太い眉を描いていたのだろうか。

「なんとなく想像できます。チークタイムというのがあったんですよね」

ヨーコさんはため息をつくようにいった。

「そうなの。この人いいなあと思った相手とは、すぐにチークダンスにもちこめたのよねえ、いい時代だったなあ」

ぼくが生まれるまえのディスコの黄金時代の話だった。懐石のコースが始まった。初皿は竹の器に盛られた三種の前菜だ。

「大学を卒業してから、どうしたんですか」

「わたしたちは遊び人のグループで、きちんと就職なんかしなかった。雑誌でモデルをしたり、六本木や銀座のクラブでアルバイトなんかをしながら、ずっと遊び暮らしていた。世のなかをなめていたんだと思う。なんだか意味もなく豪快に生きてたなあ。芸能人とかスポーツマンとか、誰でも名前をしってるような人たちとよく遊んでいたよ。あっ、そうそう」

ヨーコさんはバッグから、名刺いれをとりだした。一枚抜いて、こちらにすべらせる。〈クラブ　曜子　瀬島《せじま》曜子〉。裏には銀座七丁目のちいさな地図がはいっていた。

「わたしはそのまま銀座にいついちゃったけど、レイちゃんは別な道を選んだ」

そのことがぼくも不思議だった。男女関係をビジネスにする場合、その周辺にはたくさんの方法がある。秘密クラブはなかでももっとも危険性が高く、ハードな仕事だ。

「なぜ、レイちゃんが身体を売るようになったのか、わたしにはよくわからない。でも、彼女、学生時代から欲望が強かったんだ。誰よりもたくさん恋をして、誰よりもたくさんの男と寝ていた」

御堂静香はボーイズクラブを開くまえは娼婦だった。和服の給仕が皿をさげにきて、ぼくの声は低くなった。

「そうだったんですか」

「うん、あんなに美人で、そのうえ誰よりも冒険心があった。日本人だけでなく、白人も、黒人も、韓国人も、中国系のシンガポール人のボーイフレンドもいたもの。レイちゃんは男と女の果てを自分の目と身体で確かめてみたくなったんじゃないかな。頭もよかったし、就職するのも、わたしみたいにお店をやるのも、両方できたと思うしね。『クラブ・パッション』は大繁盛だったんでしょう」

確かにオーナーには、人をつかう才覚はあるようだ。ぼくは控えめにうなずいた。

「いいスタッフに恵まれていますけど、やはり精神的な支柱は静香さんだと思います。だけど、あの人がそんなに欲望の強い人だなんて、想像もできないな。一年以上まえになりますけど、ぼくは真剣にお願いしたことがあるんです」

ヨーコさんは興味深そうな目をして、ぼくのほうを見た。シャンパンのお代わりをする。

「ふーん、それで」

「ぜんぜんダメでした。そのあとで自分はＨＩＶポジティブだからといってましたけど」

最後のひと口をのみ切って、ヨーコさんはグラスをおいた。

「それはそうよ。だって、特別な男の子なんでしょう。レイちゃんにとってのリョウくんは」

給仕が酒をつぎにきた。ぼくはかまわずにいった。

「でも、あの人からは欲望なんて、ぜんぜん感じられなくなっています。もう男性とかセックスとか、卒業してしまった。そんな感じです」

再び満たされたグラスに、ヨーコさんの厚い下唇がふれた。

「そうかな。いくらたいへんな病気を抱えていても、そう簡単に女の欲望が消えるものかしら」

ぼくもシャンパンのグラスを空けた。視線だけで給仕にうなずくと、黙ってそそいでくれた。泡立つ黄金色の液体が、小川のような音を立ててグラスに流れこんでくる。

「そういうものなんですか」

「あのね、レイちゃんのでたらめな男遊びが終わったのは、咲良ちゃんが生まれてからなの。でも、あの病気にかかったあとだって、かならず好きな人はいたと思う。病気と恋は別ものだから」

　ぼくと出会うまえの御堂静香の男たちを想像した。あの人が選んできたのは、なにもできない皮肉屋の大学生ではなく、きちんとした才能や業績をもつ大人の男たちなのだろう。ぼくのはいる隙《すき》はないように思えた。

「ぼくには自信がありません。ほかの女の人はともかく、あの人には絶対に手が届かない、そんな気がするんです」

「そんなことはないわ。わたしにリョウくんの話をするときのレイちゃんは、それはとてもしあわせそうだったもの。うちの子がというとき、半分以上は実の子どもの咲良ちゃんじゃなくて、あなたのことだった。がんばってごらんなさい」

　はげましの言葉はうれしかったが、つい一時間まえの御堂静香の様子を思いだしていた。体重の五パーセント以上を失い、肌は乾き、張りをなくしていた。人は月単位の余命しかなくても、欲望をもつことができるのだろうか。

「ありがとうございます。ヨーコさんも、発症したことをごぞんじですよね」

　ため息とともにヨーコさんの肩が落ちた。

「電話できいた。さんざん泣かれて、わたしも朝までもらい泣きしちゃった。耐性ウイルスなんて、むごいものがあるのね」

　ぼくたちのテーブルでは汁ものが冷えていた。鯛のしんじょとかぶらの赤だしである。そのままもどすのは厨房に気の毒に思い、形だけ崩した。食欲はまったくない。

「ぼくのときは、穏やかに笑っていました。苦しみはすべてのり越えた。静香さんはそんな顔をしていた」

ヨーコさんが目にうっすらと涙をためていった。

「わたしはあなたの倍くらいの歳月は生きている。だからね、すこしだけわかることもあるの。苦しみも欲望も、簡単にのり越えたりはできないものよ。悟ったりなんて、誰もしないの。みんなが傷つきながら、今を生きている。こたえはどこにもなくて、ただそうやって今日を見送るだけ。それが人間にできることなの」

ヨーコさんのいうことは、ひとつもむずかしくなどなかった。まっすぐにぼくの胸に落ちてきて、溶けるように染みこんでくる。

「わかりました。静香さんのこと、もうすこしがんばってみます」

泣き笑いの顔で、ヨーコさんはいった。

「そうよ。残りの時間を看病だけで終わらせるなんて、もったいないじゃない。わたしたちも、あとで部屋にあがろうね」

ぼくは驚いてしまった。

「このあとで、セックスするんですか」

ヨーコさんはハンカチで涙をぬぐい、にこりと笑った。

「もちろん。レイちゃんがそんなにすすめる人なら、ぜひ試してみたいし」

「でも、ぼくは今の気分を引きずってしまうかもしれない。今日のぼくはあまりよくないかもしれません」

チューリップグラスをとると、ヨーコさんは乾杯を求めてきた。

「そんなことは心配しなくていいの。わたしもレイちゃんも、セックスにただ快楽だけを求める年ではなくなった。たとえよくなくても、心が動くほうがずっと記憶に残る行為になるものよ。わかるかな、リョウくん」

ぼくは口元に運んだグラスを宙でとめた。視線だけで疑問符を送る。

「あなたが今悲しいのなら、その悲しみをわたしに感じさせて。ふたりで分けあって、その色をもっと深いものにする。わたしはわたしの身体をとおして、リョウくんの悲しみを感じたい」

心を揺さぶられるような言葉だった。ぼくたちは心を分けあうために、身体を重ねる。思いだしてみると記憶に残っているのは、気もちのよかったセックスではなかった。感動したセックスには、たとえ稚拙なものでもいつまでも消えない力がある。

「ありがとうございます、ヨーコさん。静香さんにこれからなにをすればいいのか、すこしわかった気がします」

ヨーコさんはグラスの縁についた口紅を親指の腹でこすっていた。さっと逃げるような笑みを見せていった。

「いいえ、どういたしまして。わたし、ピルのんでるから、思い切りなかにだしちゃっていいからね」

ぼくたちは声をあわせて笑い、もう一度乾杯した。それから食事をなんとか片づけ、もつれるようにエレベーターにのりこんだ。

人の死を身近に感じながらおこなうセックスは、ひっそりと静かなものだった。カーテンを二重に閉め切っても、ホテルの部屋のなかには薄明かりがさしている。ヨーコさんの身体は、すこしたるんだ腹も、さがりめの乳房と尻も、とてもやさしい感触だった。激しい愛撫はできなかった。ぼくたちはふたりとも、その場にいない御堂静香のことを思っていたのだろう。

ヨーコさんは声をあげなかった。ぼくの指と舌は快楽のためでなく、肌とそこに走る神経になぐさめを送るために、ゆっくりと動いた。O字型に唇が開いたのは、ヨーコさんのなかにそっとペニスの先を沈めたときだけだった。

ぼくたちはリズムをあわせてうねるように動いた。力強い往復運動ではなく、ヨーコさんのなかをペニスでやさしくなでるような動きだ。だが、男の身体にはいつだって限界がやってくる。ペニス自体に快楽のカウンターでもついているようだった。粘膜の刺激が限界の回数を記録すれば、当人の意思とは関係なくペニスは精液を吐きだすのだ。

ぼくはピアスの穴の残る耳元でいった。

「もうダメです。今日のぼくはまったく仕事をしてませんね。ヨーコさんはまだいってないでしょう」

ヨーコさんは両手でぼくの頬をはさんだ。首だけ伸ばして、唇にキスしてくれる。

「いいの。気もちのいいだけのセックスなら、いつでもできる。でも、リョウくんがレイちゃんを愛してるってよくわかった。あの子はわたしの一番の友達なの」

ペニスの先に太陽のような光りが集まってきた。まぶしいほどの快感と悲しみに襲われる。ヨーコさんは目に涙をためていう。

「わたしはレイちゃんが好き。いつまでも生きていてもらいたい」

ぼくの目からも涙があふれだした。ヨーコさんの半分だけ水を満たした袋のような乳房は横に流れて揺れている。乳首のすこしうえにいくつも滴が落ちた。ぼくはうなずきながら、腰をゆるやかに動かしていた。

「さあ、リョウくん。涙も精液も、すべてだし切ってしまいなさい」

ぼくはヨーコさんの身体にしがみつくようにして、何度も射精した。ヨーコさんは痙攣《けいれん》しているぼくの頭を胸にしっかりと抱いていてくれた。その腕は涙が乾き、やわらかくなったペニスが抜け落ちるまで離されることはなかった。

31

ホテルの部屋をでるまえに、ぼくは何度も冷たい水で顔を洗った。泣き腫らした目で代官山のオフィスにもどるのが嫌だったのだ。二十年来の親友とぼくが関係をもつ。御堂静香は山のような質問を用意して、ぼくを待っているはずだった。それとも、無言で微笑むだけだろうか。ヨーコさんは窓際においたひとりがけのソファに座り、夜の渋谷を見おろしていた。

ぼくは足音を殺してしのびより、首のうしろにキスをした。

「そんなことをすると、もう一度してもらうから」

ひざをついて、ヨーコさんの顔を見あげた。素敵な笑いじわだった。

「今回はごめんなさい。ぼくはヨーコさんを満足させられなかったみたいだ。お金を払うのは、ぼくのほうかもしれない」

ヨーコさんは手を伸ばし、ぼくの髪をくしゃくしゃになでてくれた。

「そんな心配はいらないの。リョウくんはこの一年間で一番心に残るセックスをしてくれた。いくら払ってもいいと思うくらい」

組んだ脚のひざがしらにキスをした。

「ありがとうございます」

「でも、つぎのときには、思い切りいかせてもらおうかな。今日はテクニックはぜんぜんつかわなかったでしょう。今度はナンバーワンの技を見せてもらうね」

そのとおりだった。ルーティンの技など必要ないと、ぼくは感じたのだ。ヨーコさんとは心を重ねればそれでいい。

「さあ、いきなさい。わたしはここでもうすこし、今のセックスとレイちゃんのことを思い返しているから」

「失礼します。いつか、また」

ヨーコさんは振りむかずに、肩越しに手を振った。ぼくは窓際を離れ、部屋のドアにむかった。ドアノブに手をかけると、ヨーコさんの声がきこえた。

「リョウくん、残された時間はすくないわ。後悔を残さずにね。あなたも、レイちゃんも」

「わかりました。お休みなさい」

ドアを開けて、夜の廊下にでた。やわらかなカーペットを踏んで、エレベーターホールにすすむ。御堂静香とぼくに残された時間を思った。とめることのできない砂時計のような時間。自分にできることなどたかがしれているだろう。けれど、力の限りやってみよう。それも今この瞬間から。

エレベーターを待つあいだに、携帯電話を開いた。事務所にいる御堂静香に終了を告げるためだ。呼びだし音に耳を澄ませながら、もうすぐ地上から消えてしまう最愛の人に、なにをいおうか、微笑みながらぼくは考えていた。

32

御堂静香の容態は日増しに悪化していくようだった。体重は減少し、肌は乾いていく。四十代後半とは思えないほど、眼窩《がんか》は落ちくぼんでいった。けれども、その中心にある目には、あの穏やかな光りがある。

ぼくは御堂静香の親友からきいた言葉を何度も思いだした。

(いくらたいへんな病気を抱えていても、そう簡単に女の欲望が消えるものかしら)

白いソファに気だるそうに身体を投げだした彼女を、床から見あげてみる。御堂静香は重力を感じさせない声でいった。

「わたしにいいたいことがあるなら、いってごらんなさい」

枯れた花は笑って続ける。

「なあに、そんなに意味深な目をして」

どんな客のまえでも、さして緊張しないぼくも、彼女にだけは別なのだ。じっと目を見つめて、枯れ枝のようになった指にキスするだけしかできなかった。この人はもうすぐ地上から消えてしまう。ぼくたちに残された時間は残りすくない。胸のなかが黒々としたあせりでいっぱいになる。

切羽つまったぼくが最初に相談したのは、その人の娘、咲良だった。


代官山のオープンカフェだった。もう十二月だが、ぼくたちは外のテラスに席をとった。このカフェでは、庭に点々とストーブがおいてあり、ひざかけ用のブランケットを貸してくれる。薄曇の空から降る日ざしは、あわくあたりを銀に照らしていた。

「ねえ、咲良、女の人っていったいいくつまで欲望をもっているものかな」

ぼくは咲良が唇を読みやすいようにゆっくりとそういった。咲良は小首をかしげて、不思議そうな顔をした。いきなりそんなことをきかれたら、女性なら誰でも困るだろう。咲良の丸い指が動いた。

「生きている限り」

ぼくはうなずいていった。

「じゃあ、静香さんはどうだろう」

咲良は勘のいい子だった。ぼくを見る目に了解の光りが生まれる。

「ママも女だよ」

昼間のシャンパンをひと口のんだ。クラブを再開してから、アズマの癖が移ったようだ。明るい時間のシャンパンはとてもおいしい。

「じゃあ、静香さんもまだ……その、男の人とセックスしたいって、思ってるのかな」

咲良の手に迷いはなかった。

「そんなの当然だよ。ママは昔の倍の時間、お化粧に時間かけてるもの」

咲良はじっとぼくの目を見つめた。稲妻のように手がひらめく。

「なんでだと思う？」

わからなかった。ただ首を横に振るだけだ。咲良は怒ったように手話をつかった。

「リョウくんに見せるため」

ぼくはしびれたような気もちで、言葉を読んだ。咲良の目が赤くなっていた。

「リョウくんに、いつまでもきれいな自分を、見せたいから」

咲良は目の縁の涙を指先でぬぐった。

「ぼくは静香さんを抱きたい。一度だけでいいんだ」

声が自然におおきくなってしまった。となりのテーブルの主婦ふたりが、おかしな目でぼくたちを見ていた。咲良もぼくも、世のなかの目を気になどしない。咲良の手をとっていった。

「お願いだから、静香さんに話をしてくれないか。もう時間がない。今日の午後にでもすぐに」

咲良はしっかりと濡れたまつげでうなずいてくれた。

「ぼくはただの娼夫で、してあげられることなんてぜんぜんない。それがぼくができるただひとつの、最後のプレゼントなんだ」

自分でもなぜ涙がにじむのかわからなかった。咲良はぼくのてのひらを何度もやさしくタップしてくれた。


その日の午後は代官山の事務所にもどらずにすごした。

あまり気もちのこもっていないショートの仕事（デートだけで、ベッドはついていなかった）をすませてから、観たくもないシネマコンプレックスにはいる。映画は俳優と同じくらいＣＧが活躍するハリウッド大作だった。上映途中で席を離れ、近くにある迷路のような大型書店を歩きまわった。本の背に目をやっても、書名が外国語のようでまったく頭にはいってこなかった。

　事務所にもどったときには、冬の日はとうに暮れていた。ぼくは鍵をつかい、そっと扉を押した。白い部屋には御堂静香と咲良しかいなかった。アズマやアユムは仕事で出払っているのかもしれないし、咲良が気をきかせて外にやったのかもしれない。以前、拒絶されているぼくは、恐るおそる白いソファに目をやった。御堂静香は一瞬だけ視線をあわせ、恥ずかしげにふせてしまう。その瞬間にわかった。

（ぼくが、この人の、最期の人になる）

　身体のなかを電流が走るようだった。咲良は母親の足元に座り、ぼくにうなずきかけてくる。立ちあがるとこちらにやってきた。ぼくの手を引いて、となりの部屋に移動する。

　咲良の両手がスキップでもするように動いた。

「リョウくんとしたいって」

　ぼくは御堂静香の娘を抱き締めた。

「よかった。ほんとにうれしい」

　人間は歓喜の瞬間には、ごく単純な言葉しかでないようだった。咲良は子どもの頭でもなでるように、ぼくの髪に指をとおした。身体を離すと、手話をつかった。今度は長いメッセージになる。

「でもね、体調が悪いから、タイミングをきちんと、計らなくちゃいけないんだって」

ぼくは黙ってうなずいた。毎日そばにいるので、日々御堂静香の体重が減少しているのはわかっていた。微熱も続いているようだ。咲良は真剣な顔でうなずいて手話をつかった。

「それから、なによりも大切なのは、リョウくんに感染させないことだって」

ぼくも真剣にならざるを得なかった。御堂静香のなかで猛威を振るう特異なウイルスを思った。人間の免疫系だけを狙い撃ちする暗殺者のウイルスだ。

「そのために、わたしにも手伝ってほしいって」

ぼくは咲良の手をとって、ゆっくりと唇を動かした。

「お願いだ。静香さんの最期のセックスのために、咲良も力を貸してくれ」

咲良は力いっぱい首を縦に振った。涙目で両手を動かした。

「うちのママをよろしく」

わかったといって、ぼくは御堂静香の娘を抱き締めた。


十二月の一週間が静かにすぎていった。ぼくはいつものように大学と娼夫の仕事を続けながら、御堂静香のタイミングが満ちるのを待った。咲良は看護師のように毎日母親の体温を測り、ＨＩＶの抗ウイルス薬と感染症対策の抗生剤をのませた。カクテル療法ですんでいたころは一日数錠の投薬だったけれど、耐性ウイルスが出現してからは薬の量が飛躍的に増えていた。当然、副作用もそれだけ強くなっている。

御堂静香は疲れやすく、体調を崩しがちになった。だが、最悪に近い状態のなかでも身体と心にはゆるやかな波がある。ぼくたちはその波頭にのって、最期の行為をおこなうことにした。第三者から見れば、滑稽なほどの努力かもしれない。だが、うちのクラブでは御堂静香の最後の願いを笑う者はいなかったし、病人の性欲を軽く見る者もいなかった。その程度のセンスでは、クラブで仕事をしていくのは困難だったのだから、あたりまえである。

人は生きる限り、欲望をもつ。それを誰も笑うことはできないのだ。ぼくたちは色とりどりに咲き乱れる欲望の花束を、胸の奥に死ぬまで抱えて生きている。

33

「明日がいいみたい」

御堂静香にそういわれたのは、あの日からちょうど一週間後のことだった。十二月もなかばをすぎて、街はクリスマス一色に染まっていた。ぼくには常連客からの予約が一件はいっていたが、そちらのほうは即座にキャンセルした。大学のゼミののみ会が緊急で決まった。また次回よろしくお願いします。ぼくと話したあとで、メグミがダメ押しの電話をいれている。お詫びにつぎは五十パーセントオフにいたします。

代官山の事務所では、他のメンバーをシャットオフにした。ぼくが到着したのは夕方だった。自宅をでるまえに、シャワーはすませている。白いソファのまえ、センターテーブルには近所のフレンチからとったケータリングの皿がならんだ。それをかこむのは、ぼくと咲良と御堂静香の三人だけだ。咲良はこの日のためにずいぶん準備をしていたようだ。広い事務所のリビングには、数十本のキャンドルが灯《とも》っていた。

「さあ、電気を消して」

御堂静香がそういって、記念すべき夜が始まった。やわらかなキャンドルの灯が、たくさんの光りの円を白い部屋に描いた。ぼくはバーテンダー時代の腕を披露した。糸のように細く、フルートグラスにシャンパンを注いでいく。ボトルから落ちていく黄金色の液体は、まるで命の流れのようだった。しっかりとボトルの底を支え、一瞬の途切れもないようにグラスを満たさなければいけない。

グラスがそろうと、御堂静香が最初に手を伸ばした。化粧にはずいぶん時間をかけたようだった。すこしやつれているけれど、発症するまえの美しさがもどっている。やわらかな笑いじわと疲れた感じが、逆にセクシーだった。

「さあ、わたしたちの最期の夜に乾杯しましょう。ちょっと驚いたけど、またリョウくんにアタックされて、なんだかうれしかった。ＨＩＶを発症したわたしは、もう女性として死んだも同然と思っていたから。リョウくん、咲良、ありがとう。乾杯！」

ぼくたちは乾杯した。クラブを再開してから、ぼくはたくさんのシャンパンをのんだけれど、そのときの一杯がぼくには最高の味わいだった。涙がでてきて、困ったくらいである。病気のためにアルコールを控えていた御堂静香は、グラス一杯のシャンパンで頬をかすかに赤くした。ぼくの髪をなでていう。

「あのときのバーテンダーが、こんなふうに立派になるなんて思ってもみなかった。鋭いところはあるけれど、心は閉ざしていたし、女性を寄せつけない厳しい雰囲気だった。自分はひとりで生きていく。誰にも邪魔はさせない。リョウくんはそんな感じの男の子だった」

咲良は笑って、両手をつかった。

「わたしのおかげだね」

御堂静香はグラスをおいて、残る片方の手で咲良の黒髪をなでた。

「ほんとに。あなたがあのときリョウくんを拾ってくれなければ、今日のこの日はなかった。わたしの片腕も、うちのクラブの後継者もいなかった。ありがとね、咲良」

ぼくはグラスを空けると、つぎのシャンパンを注ぎながらいった。

「誰にでも、道に迷う時期がありますよね。人生の森に迷って、方向感覚をなくしてしまう。静香さんは、ぼくに生きる目標を示してくれた。ぼくは自分には娼夫なんて、とても無理だと思っていた」

御堂静香は華やかに笑った。

「それが今ではうちのクラブのナンバーワンだものね。リョウくんは自分で勝手に才能を開花させたのよ。きっとどこのクラブにいってもトップになったはず」

ぼくは首を左右に振った。

「違います。ぼくは静香さんにほめてもらいたくて、ずっとがんばっていた。そうでなければ、ごほうびに静香さんをくださいなんていいません」

御堂静香は頬だけでなく、目のなかも赤くしていた。赤く濡れた光りが両目にとろりとたまっている。

「あのときはごめんなさい。でも、わたしも自分に正直になることにする。もう嘘をつく時間なんて残っていないもの」

咲良が手を伸ばして、御堂静香のてのひらに重ねた。ぼくも同じようにする。一段高い椅子《いす》にかける聖なる母を中心に、床にならんだふたりの幼子。キャンドルのやわらかな灯りのなか、ぼくたちは宗教画のモデルにでもなったようだった。娼婦と娼婦の娘とひとりの娼夫。三角形の聖母子像である。

料理はほとんど、ぼくと咲良が片づけた。御堂静香はバゲットのまんなかのやわらかい部分を、なにもつけずにごく少量口に運ぶだけだった。若い人の食欲を見ているだけで、お腹がいっぱいになるのだという。

食事とシャンパンがすすみ、夜は更けていった。勢いよく流れていた会話も途切れがちになる。ぼくはいつ御堂静香から合図がでるのか、待ち続けていた。食事のあいだ、ずっと腰の裏側にちりちりと遠い炎のような熱を感じていたのだ。ペニスは完全には充実していなかったけれど、先端はハチミツにでも漬けたように濡れていた。

三人の笑い声がやんだ一瞬、御堂静香はいった。半分目を閉じて、どこかの神殿の巫女《みこ》のような表情である。

「さあ、始めましょう」

自分の力でソファを立つと白い部屋の中央にすすんだ。白いロングドレスはこの日のために新調したものだった。シンプルな形のシルクサテンのベアショルダーだが、どこかウエディングドレスを思わせるデザインだった。

「点検してもらわないとね」

御堂静香はそういうと、自分の言葉に笑って、蛇が皮を脱ぐようにドレスを身体から落としていった。通常のセックスで、HIVが感染する確率は千分の三程度。千回のセックスで約三回である。だから、コンドームを使用すれば、ほぼ感染は予防できるのだ。だが致命的なルーレットがあたる確率は、身体のどこかに血液が流れる傷がある場合、飛躍的に上昇する。HIVは血液感染だ。

御堂静香が四十代後半のむきだしの身体を、ぼくと咲良にすみずみまで見せるのは、自分でも気づかない引っかき傷でもないかと、最終的な確認をさせるためだった。ぼくはもう若くはない身体を、一ミリも逃さない覚悟で見つめていた。恥じらいをふくんだ声で、裸の女性はいう。

「傷を見るだけよ。お腹とか、胸とか、お尻は二十年まえを想像しながら、見ればいいんだからね」

御堂静香はこの世代の女性にしては大柄である。百七十センチはあるだろうか。胸も尻も腹も、うっすらと蓄積した脂肪と不断の重力に負けて、位置をさげていた。ぼくはそのやさしさが好きだった。熟した花の花びらが、自分の秘密を明かすために、外側に開き切っていく。あのまろやかな曲線を醜いというほうがセンスが悪いのだ。

「二十年まえはすごかったでしょうけど、今の静香さんも素敵ですよ」

興奮でからからに渇いたのどで、ぼくはそういった。御堂静香は乳房のうえの肌に血の色を浮かべている。咲良は立ちあがり、母親の元に移動した。ほんの三十センチほどの距離から、肌の表に傷がないか確かめている。

ぼくも立ちあがった。素肌に着ていた白いセーターとホワイトジーンズを脱ぐ。いつか御堂静香がぼくに買い与えてくれたボクサーショーツ一枚で、彼女のまえに立った。手を伸ばせば届く距離に、あこがれの人が立っている。裸の身体から熱が放射されて、ぼくの身体の表面に届いた。まるで熱風のようだ。それだけでショーツのなかのペニスは、硬度を増していった。キャンドルのゆらめきが、御堂静香の身体にうねるような影を残した。ぼくは母親の目を見つめながら、娘にいった。

「傷はなかったよね」

咲良はぼくの背中にまわった。肩甲骨のあいだに唇をつけると、そっとぼくの背中を母親のほうへ押した。ぼくは初めて三人が出会ったときのことを思いだしていた。あのときは御堂静香に見つめられながら、咲良を抱いた。今、咲良に見つめられながら、御堂静香を抱こうとしている。ものごとの始まりと終わりはこんなふうに、きれいな対称を描く。

ぼくは御堂静香の頬を両手ではさんだ。

唇にふれるだけのキスをする。咲良からは口のなかの粘膜には、自分でもわからない細かな傷がついていることがあるからと、深いキスは禁止されていた。舌を御堂静香の口に送りこまないようにするには、全力の克己心が必要だった。

そのままの形で、顔に唇を寄せた。額、髪の生え際、眉、閉じた目、まつげ、鼻筋と頬、唇とあご。そのままぼくの唇は首筋をすべっていく。御堂静香は絶えず声を漏らしていた。ちらりと横を見ると、咲良は遠くはなれたソファで両手を組んで祈るようにこちらを見ていた。

唇と舌は御堂静香の上半身を探検した。肩から、やや外側に流れた乳房へ。乳房から肋骨の浮いたわき腹へ。わき腹から丸くあたたかな腹へ。頭のうえのほうで御堂静香の泣き声がきこえた。

「もうダメ。立っていられなくなる」

ぼくは手を震える太もものあいだにさしこんだ。太ももの内側は両方とも、ひざのあたりまで濡れていた。

「お願い、ソファにいかせて」

ぼくは身体を起こし、御堂静香と目の高さをあわせた。

「いいえ、ダメです。背中を一周するまではなんとか、がまんしてください」

「もう、リョウくんがなぜナンバーワンなのか、よくわかった。あなたって、ひどい人なんだね」

そういって御堂静香は、ぼくの髪をくしゃくしゃに乱し、額にキスしてくれた。

この人の身体をすべて記憶のなかに刻みたい。ぼくは目と指と舌を総動員して、御堂静香の身体を探っていった。それは未知の国を測量して歩くようなものである。肌の一平方センチメートルも逃さずに、目で見て、指でふれて、舌で味わう。うんと時間をかけて、全身を調べあげていくのだ。

そのあいだ、彼女の脚のあいだとペニスの先からは、透明な滴が垂れ流されていた。ぼくの唯一の不満は、御堂静香の性器に、深いキスと同じ理由で、口をつけられなかったことである。ほんとうなら彼女のなかからあふれる水を思う存分味わい、泉が干あがるまで吸い尽くしたかった。だが、そんなことをしたら、その夜はすぐに監査役の咲良からストップがかかったことだろう。

逆に、御堂静香はぼくのペニスを口にしている。もっともそれはコンドーム越しの行為だ。ぼくはどちらでもかまわなかった。もともと女性に口でされるのが、ひどく好きというわけでもなかったのである。

ソファのうえには白い毛布が敷かれていた。ぼくたちは裸で抱きあって、そのうえに横たわった。咲良は気をきかせて、となりのソファセットに移っている。御堂静香は最初にぼくのペニスをつかんでから、一度も手を離そうとしなかった。甘え上手な女性が先天的に体得している技術である。

「リョウくん、お願い、もうちょうだい」

御堂静香は太ももでぼくの腰をはさんでいた。若い女性のように内側から肉の張りつめた感触ではない。肌はすこし疲れて張りを失い、押せば指先が沈むようなやさしいふれ心地である。ぼくの好きな四十代の女性の、なにかを許してくれそうな肌だった。

ぼくがペニスの先を女性器にあてがうと、御堂静香は驚異的な自制心を発揮した。

「待って、きちんとコンドームがついているか確かめるから」

彼女は上半身を起こし、ぼくのペニスを調べた。コンドームに傷がないか。つけ根まできちんと装着されているか。そして、自分の性器の周辺に血液の流れる傷はないか。しばらく確認して納得したようだ。御堂静香は毛布のうえに再び横たわった。

「ごめんね、ムードがなくて」

目じりにこじわをたくさん浮かべ、そういって笑う。ぼくは全力で御堂静香を抱き締め、耳元でいった。

「そんなふうに静香さんに大切にされたら、もたなくなってしまいそうです」

熱い息とともに言葉が、ぼくの耳に吹きこまれる。

「ダメよ。わたしの生涯最期のセックスなんだから、いいというまでは絶対にいったらダメ」

ぼくはこれ以上なく真剣だった。

「わかりました。なにがあっても、がまんします」

御堂静香の髪が白い毛布のうえに丸く広がっていた。刺すようにまっすぐ見あげてくる。

「リョウくん、あなたはわたしが出会った一番の男の子だった。あなたをちょうだい」

ぼくは御堂静香の額に性的なものをふくまないキスをした。母親にキスする男の子のようだ。

「静香さん、あなたはぼくが出会った一番の年上の人でした。全部ください」

御堂静香の性器は濡れて、口を開いていた。ペニスの先端は水面に玉が落ちるような音を立て、吸いこまれていく。ぼくはゆっくりと前進した。ほんの一ミリずつ、彼女の性器の内側を押し広げていく。この奥深くでつながっている感覚。これが真実で、新聞やテレビで伝えられる政治や経済や文化や犯罪、ああしたものすべてが幻なのではないだろうか。ぼくたちは幻のために闘い、幻のために死んでいく。ほんとうに素晴らしいセックスをするたびにやってくる数百回目の思考に全身を打たれてしまう。

御堂静香はぼくの腰に手を伸ばし、すこしでも早く全長を迎えいれようとした。ぼくは首筋にキスしていった。

「いくら最期でも、いそいだらダメです。ゆっくりいきます」

目をいっぱいに見開いて、御堂静香はいった。

「リョウくんは……わたしが今……どれくらい気もちいいのか……ぜんぜんわからないから……そんなことが……いえるの」

それでも、ぼくは譲らなかった。大柄な女性の身体の動きを封じて、硬い木材に錐《きり》でもねじこむようにゆっくりとペニスをすすめていく。御堂静香のため息は悲鳴に変わった。

「もう、がまんできない……いってもいい」

ぼくはダメだといった。全部を収めるまでは、いってはダメだ。御堂静香の腹は嵐の海のように波打っている。

「……すごい……なあに、これ」

ペニスは長い旅を終えて、御堂静香の性器の奥に届いた。恥骨と恥骨があたっている。ぼくはまったく身動きをしなかった。そのまま、腰をあわせ、ペニスの全長を彼女の性器に収めている。御堂静香の息がさらに荒くなった。ぼくは許可の言葉を、耳元でささやいた。

「全部はいったよ、静香さん、いってごらん」

「……はい」

御堂静香はそううなずくと、獣のような声をあげて、その夜最初のエクスタシーに達した。

34

ぼくたちは身体をつなぎながら、いろいろな話をした。一度エクスタシーを迎えてからは、御堂静香にもすこしゆとりが生まれたようだ。したから手を伸ばして、ぼくの髪をくしゃくしゃに乱す。

「わたしの目がどうかしていたんだね。最初に会ったときに、リョウくんの才能がわからなかったなんて」

ぼくの汗が額から乳房のうえに落ちた。御堂静香は指を伸ばすと汗の滴をすくい、口に運んでしまう。

「男の子の汗って、甘いな」

母親ほど年の離れた女性は、そういって笑った。

「ぼくはなにもしていないですよ」

驚いた顔をすると、額に愛らしいしわが刻まれた。

「ほんとうにそう思っているの」

ゆっくりとさざなみのように細かく腰を打ちあわせた。御堂静香は眉を寄せて、苦しげな顔をする。

「ええ、ほんとうです。女の人のなかに隠されていたものを、そのまま引きだす。ぼくがしていることなんて、ただそれだけだと思う。男にできることは、ほんのすこししかないんです」

御堂静香はとぎれとぎれにいった。

「それで……こんな……ふうに……なるんだ」

じっと見つめあったまま、ぼくたちはやさしく揺れていた。白い大振りのソファのうえで、ちいさな航海をする。あっと声をあげて、御堂静香は軽いエクスタシーを迎えたようだった。もうすぐクリスマスを迎える部屋は、エアコンで初夏のような熱気だった。うっすらと汗ばんだ御堂静香の身体が、ぼくの汗で点々と濡れていく。降り始めた夕立にまだらに染まるアスファルトのようだ。

横からの視線を感じて、顔をむけた。となりのソファセットから、咲良がむさぼるような目で母親と抱きあうぼくを見ていた。「クラブ・パッション」の採用試験を思いだす。あれは昨年の初夏だったはずだ。あのとき咲良を抱くぼくを、御堂静香は氷のように冷静な視線で眺めていた。今、母と娘の立場は逆転して、咲良の視線は遠い炎のようにぼくの身体の表を焼いている。

御堂静香がぼくの様子に気づいたようだった。横をむいて、微笑みながら咲良のほうを見た。しっかりとうなずく。声をあげずに、唇の形だけでいった。

（あ・り・が・と・う……さ・く・ら）

唇を読んだ咲良は泣きながら、いやいやをするように首を横に振った。ぼくは再び動きだした。御堂静香は長い手足をからめて、しっかりと抱きついてくる。今度はぼくの耳元でささやいた。

「ありがとう、リョウくん」

生涯最期のセックスをしている女性にそんなふうにいわれたら、切なくてたまらなくなった。ぼくは二度と御堂静香を抱くことはないだろう。彼女ももう男と寝ることはできないかもしれない。残された体力と時間はわずかだった。それでも、御堂静香の表情には死への恐れや病気の苦しみはなかった。光りがあふれるような表情で、この瞬間のよろこびに酔っている。

「ぼくのほうこそ、ありがとうございます」

御堂静香の奥をえぐるように突きながら、ぼくは礼をいった。涙はなんとか自分のなかに抑えこんだ。これほどの悲しみと、セックスの快楽が両立するのが、自分でも不思議だった。この人はもうすぐ地上からいなくなる。だが、つながっている身体の感覚は確かだった。引き裂かれるような思いとあたたかくペニスを包む性器の感触が、同時に身体のなかで響きあうのだ。

それはじかに魂と魂をこすりあわせる行為だった。ぼくたちの身体のあいだには、ウイルスの感染を防ぐためにごく薄いラテックスの皮膜があったけれど、そんなものは問題ではなかった。ウイルスはあの膜を越えられないが、心はやすやすと超えるのだ。


けれども、どんなに素晴らしい時間にも必ず終わりがやってくる。

御堂静香が何度目かのエクスタシーを迎えたあとで、ぼくの限界がやってきた。

「静香さん、ごめんなさい。もっと、もっとこうしていたかったのに、もうぼくはダメみたいです」

御堂静香は頭をあげて、ちいさな子どもにするようにぼくの額にキスをした。

「もう十分よ。リョウくんも、わたしのなかで思い切りいって」

キャンドルでほの暗い部屋のなかで、水を張ったように御堂静香の目が光っていた。その目を見て、ぼくのなかでなにかが決壊してしまった。相手の身体への負担を考えて、やさしく動いていた腰が全速力で運動を始めた。目を閉じると、ペニスの先にちいさな太陽が生まれたようだった。男のエクスタシーは見つめていられないほど、鋭くまぶしい。

「いきそうです……静香さんもいっしょに」

「うん」

吐く息と吸う息、前後する腰と引き締まる腹。ふたりのあいだで、すべてのリズムがぴたりと重なった。ぼくは声にならない声をあげて、御堂静香の身体にしがみついた。長々と終わりがないのではないかという射精をした。途中で身体のなかが空っぽになるのが怖くなるほどだった。

そのあいだ御堂静香はずっとぼくの濡れた髪をなでてくれた。かすれた声でいう。

「生きているって、こういうことだったのね」

ぼくは乳房にのせていた顔をあげた。

「ずっと忘れていた。生きているって、自分の身体をとおして誰かを感じて、なにかを分けあうってことだったんだね」

御堂静香は汗だくの顔で、微笑んでいた。ぼくは見つめていることしかできなかった。そのときの顔が、今でもぼくが一番よく思いだす彼女の顔だ。

「もらってばかりのような気がするけど。静香さんがいなかったら、ぼくは決してこの世界にはいってはいなかっただろうし」

彼女は笑って、左右に首を振る。そうすると同世代の女の子のようだった。

「さっきもいったでしょう。もう十分というくらいたくさんのものをもらった。わたしも、咲良もね。あなたはわたしの息子よ」

その言葉で涙があふれそうになった。乳房に額を押しつけて、涙を隠した。ぼくの肩をやさしくたたくと彼女はいう。

「さあ、もういきなさい」

ぼくは慎重にコンドームの端を押さえて、ペニスを抜いた。裸のままバスルームに移動する。細菌もウイルスも石鹸には弱い。どちらも人の肉体のなかにはいっていなければ、生きていくのさえ困難なほど微力な生きものだ。

咲良と打ちあわせをしたとおり、ぼくは薬用のソープでていねいに二度身体を洗った。頭からシャワーを浴びている途中で声をあげて泣いてしまった気がするけれど、もしかしたらあれは夢のなかの出来事だったのかもしれない。まったく覚えていないのだ。どちらにしても、唇を開いて寝息を立てている母のところに帰ったときには、ぼくの目はすっきりとものを見ることができるようになっていた。

その夜は朝がくるまで、御堂静香の寝顔を見つめていた。

35

ロウソクは燃え尽きるまえに一瞬の輝きを放つという。

御堂静香にとって、あの夜が最期の輝きだった。翌日から微熱が続き、食物を吐きもどすようになったのである。ひとりで歩くことは困難になった。部屋のなかを移動するときさえ、ぼくか咲良がついていなければならない。けれどもそんなときでさえ、御堂静香の穏やかな表情が崩れることはなかった。

あの夜から四日目、それは静かな冬の雨の午後だった。代官山のオフィスにはクリスマス・オラトリオが流れ、声を絞ったワイドショーでは翌年の春夏もののファッションショーを映していた。御堂静香の異変に気づいたのはぼくだった。ソファにもたれていた身体がゆっくりと横倒しになったのだ。うたた寝でもしたのだろうと声をかけた。きちんと寝るのなら、ベッドのほうがいい。

「静香さん、だいじょうぶですか」

手にふれた。ひどい熱だった。御堂静香は意識をなくしている。

「咲良、きてくれ」

ぼくはそう叫んで、横倒しになった姿勢を直そうとした。手の先から命が漏れていくようだった。指先から彼女の手が青白く澄んでいく。血の気が引くというけれど、それを実際に見たのは初めてだった。咲良が駆けよってきて、母親にしがみついた。ぼくと咲良がなんとかふたりの母親を抱き起こそうとしたとき、強烈な痙攣が始まった。

「もうぼくたちでは無理だ。救急車を呼ぼう」

釣りあげられた魚のように御堂静香は震えていた。ガウンの胸元が開いて、乳房の裾野がのぞいた。ぼくはそこに見た。かつて白い石像のようになめらかだった肌に、血の色をしたかさぶたのような肉腫が点々と浮かんでいる。

それは命をくい尽くす肉色の染みのようだった。

御堂静香は広尾にある病院に搬送された。

翌日の明けがた意識をとりもどしたとき、咲良とぼくは救急治療室のベッドサイドにいた。

「ここは?」

咲良が手をつかった。

[病院]

それを見ても、御堂静香は表情を変えなかった。

「そう……わたしは、最期の場所にきちゃったわけね」

短く息を吐いて、なにかをバカにするように笑った。

「それで、先生はなんて?」

ぼくと咲良は目を見あわせた。御堂静香にはなにも隠さずに話そうと決めていたのだ。

「免疫の力が落ちているので、身体中で感染症の危険があるそうです。ウイルス性の肉腫と肺炎にかかっているって」

カポジ肉腫と抗酸菌による肺炎だと医者はいっていた。免疫力が弱くなりすぎているので、薬の効果はほとんど期待できないと。結局のところ、どんな抗生物質も身体が細菌と闘うための手助けをするにすぎない。咲良が自分の胸を示した。うなずいて、ぼくはいう。

「静香さんはたべられないから体力が落ちていきますよね。医師は胸にカテーテルをさして、静脈に栄養を直接送りこむといいといっています」

御堂静香の目は黒い穴のようだった。底が見えない。だが、口元にはしぶとく笑いが張りついていた。

「それでＨＩＶが治るの」

ぼくも咲良も黙っていた。変異型のＨＩＶウイルスには、特効薬はない。

「だったら、静脈に栄養をいれるのは嫌。あれをやると、すごくむくんでしまうから。お友達でぶくぶくにむくんで死んだ人を見たわ。苦しみを長く延ばすだけ」

シーツのしたから御堂静香は手を伸ばした。女性らしく美しかった手には、老人のようにひからびた指がついている。咲良とぼくはその手をにぎった。

「あなたたちがいてくれれば、それでもうなにもいらない。あとは痛みさえとめてもらえたら、なんでもいい」

咲良もぼくも、その夜何度目かの涙を落とした。ぼくたちの頭を交互になでると、御堂静香はいった。

「あなたたちふたりが、最高の薬よ」

命の力が漏れだす勢いは、滝のようだった。

御堂静香は入院してから二週間でなくなった。最後の一週間は痛みどめのモルヒネで、半分眠っている状態だった。ときどき意識がもどると、ぼくと咲良を間違えることがあった。御堂静香の夢のなかでは、ぼくたちは自分が産んだ双子なのだ。悲しくなるまえの三日間は危篤状態で意識はなかった。辞世の言葉はなかった。人はただいフィナーレも、センチメンタルな音楽も、効果音やスモークもなかった。真夜中、医師が死亡を確認し花が枯れ、虫が地に落ち、肉が腐るように死んでいく。真夜中、医師が死亡を確認したときには、ぼくは心底からほっとした。

そんなことをいうのは、正直すぎるだろうか。

だが、ぼくは思ったのだ。これで、生きながら死んでいる御堂静香ではなく、死んだけれど生きている御堂静香の思い出といつまでも暮らすことができる。そちらのほうが、肺炎で緑色の痰を吐いて苦しんでいる御堂静香を見ているよりもずっといい。思い出はどんなウイルスも、絶対の死の力さえ、奪うことはできないのだ。

御堂静香の葬儀は、密葬という言葉どおり、ひっそりと静かにおこなわれた。クラブのメンバーのほかは、ごく親しい友人に声をかけただけだった。親戚などには連絡をいれるなと、御堂静香にはいわれていた。無宗教のまったくイベントらしい式次第のない簡素な葬儀だった。

死化粧を施された御堂静香の顔は、発症するまえの美しさをとりもどしていた。肉腫のあとはきれいにカバーされ、肌は健康的な白さに塗られている。ぼくと咲良はやっぱりママはきれいだと、黙って同じ手話を繰り返した。

火葬場ではぼくと咲良、アズマとアユムとメグミが骨を拾った。大柄だった御堂静香も骨になるときれいに骨壺に納まってしまう。乾いた骨はひどく軽かった。その壺は彼女自身が知人の陶芸家に頼んでつくらせてあったものだという。骨壺というよりも、純白の陶製のモダンなアイスペールのようだった。最初にそれを見たとき、アズマはいった。

「なんだか、シャンパンを冷やしたくなる壺だなあ」

ぼくと咲良はそれをきいておお笑いし、それから泣いたのである。


骨壺は咲良が抱いて帰った。

タクシーのなかでまだほのかにあたたかい壺を、ずっとなでていた。ぼくはとなりに座り、咲良の肩を抱いているだけだ。体型は親子でまるで違うのに、なぜか肩の抱き心地は母親と娘でよく似ている。

その壺はリビングルームの壁際に寄せられたサイドボードのうえに、今も飾られている。ユリやカーネーションやチューリップ。周囲を飾る白い花は数日おきに変わるが、御堂静香の場所は変わらない。

クラブのメンバーは誰も、その壺にむかって手をあわせることはなかった。ただそこにオーナーがいるように、一日の仕事を報告し、話しかけ、なにか相談ごとをもちこむだけだ。御堂静香はいない。けれど、確かに生きている。

誰でも身近な人に死なれたことがある人なら、ぼくのいうことはわかってもらえると思う。人は死なない。ただ消え去るだけだ。

それでも、この世界はこれまでどおり、すこしバカらしく、だいぶ無理のある方法で続いていく。

ぼくたちはこの世界で肉をもって生きているので、明日もただ生きなければならない。

そこに理由はないのだ。

36

有楽町に新しくできたホテルの一室にぼくはいる。

窓のむこうに日比谷公園と皇居の緑が広がるパークビュールームだ。冬の緑は黒ずんで、コンクリートの街に浮かんだ肉腫のようだった。ぼくは御堂静香の最後の日々をなんとか思いださないようにする。その代わりに、最期のセックスのときの彼女の言葉を思いだす。

（生きているって、自分の身体をとおして誰かを感じて、なにかを分けあうってことだったんだね）

そういって、微笑んでいたオーナーのことを思い浮かべる。


「リョウくん、お先に。あなたもシャワー浴びる？」

ぼくは窓際を離れて、ガウンを着た女性のほうに移動する。もう何度目かのリピーターになるいい客だ。

「いいえ、事務所をでるときにすませてきましたから」

ガウンのあわせ目を開くと、胸の肌が広くのぞいた。

「ちょっと明るいな。カーテンを閉じてくれない」

そういって彼女は恥じらうように顔を伏せる。四十代後半。御堂静香と同じ年配だ。自分でちいさな会社を経営しているという。髪の生え際に何本か銀の筋が見える。ぼくはそこに口づけしていった。

「カーテンを閉めてきます。でも、恥ずかしいことなんてないと思いますよ。どんな形で年をとるにしても、大人になるって素敵なことです」

窓辺にもどって、分厚い遮光カーテンを閉じた。ぼくたちは傷つき、乾き、しわを増やし、肉をたるませ、年を重ねていく。肉体の魅力と生きいきとした心の弾みを失って得るのは、ほんのわずかな知恵と金銭だけであるように見える。

だが、それでも日々なにかを失いながら生きている女性の身体は、これほど素晴らしかった。手早く裸になり、ベッドで横たわる客のガウンを開いた。乳房は張りをなくして、重力に従っている。ふれ心地は湯をいれた風船のようだ。ちいさな穴でも開ければ、やわらかさはすべて抜けてでてしまいそうだ。乳房を支える手の動きに、彼女はいう。

「それ、いいみたい」

「はい」

笑ってうなずき、片方の乳房の頂に口をつける。彼女の声は言葉ではなく、短い音の繰り返しになる。またあの時間が始まるのだ。肌と肌、肉と肉、そして心と心を結ぶ時間。いつか骨だけになるまで、ぼくは誰かと身体をつなぎ続けるだろう。いつかこの身体から欲望と肉が離れ落ち、清潔な骨に変わるまで。

純白の骨を思いながら、ぼくは彼女の身体の奥深くはいっていく。

ひとりの人のなかにいる、すべての女性を同時に抱き締める。

これが終わったら、ぼくは事務所に帰り、御堂静香に報告するだろう。

今日もいい仕事でしたと。
彼女は白い壺のなかで、当然だといって笑ってくれるはずだ。

解説

鴻巣友季子

「女性が年齢を重ねることをとても丁寧に描いた小説があるんですが、読んでみませんか。日本では女性の若いことばかりを称賛しますが、海外の小説には女性の加齢を豊かにとらえる傑作がたくさんありますよね……」

早春のある日、集英社文庫のかたからそんなお誘いを受けた。わたしは『アレクサンドリア四重奏』や『ダロウェイ夫人』といった外国文学をいくつか思い浮かべた。

「石田衣良さんは女性の加齢を成熟としてきちんと書ける数少ない日本の男性作家のひとりなんです」

そう聞いて、本作の文庫解説をお引き受けすることにした次第である。

石田衣良は、少しずつ年を重ねる女性の肌をこんなふうに表現する。四十八歳も年上の企業家の夫に先立たれた三十四歳のトモミさんと、主人公の娼夫リョウが食事をともにする場面だ。

ぼくはトモミさんのとなりに席をとった。足元は掘ってあるので、正座をせずにリラックスできる。窓のむこうには夕空と浜離宮の緑が広がっていた。雲は勢いのない秋の雲だった。雲と女性の肌はよく似ている。夏の雲は張りをもって内側から盛りあがるようだし、秋の雲は穏やかに輪郭を淡くして高い空を漂っている。ぼくが好きなのは、秋の雲と大人の女性だった。

自分が三十四歳の時を思い返してみると、肌の状態はともかく、大人の女性とはとても言えなかったと思うが、こんなふうに秋の雲になぞらえられるなら、大人になるのも大歓迎だったはずだ。

このくだりには、作者の加齢への考え方が静かに提示されているだろう。

なるほど、大人になるというのは、「輪郭を淡くしていくこと」かとわたしは思った。若いころは好き嫌いをはっきりさせ、なんにでも白黒をつけ、「選びとる」ことで、自分のアイデンティティを形成していく面がある。しかし年をとるというのは、いや、正確にいえば、よりよく年をとるというのは、色々なものの境や自分の輪郭さえ薄れさせ、淡くうっすらと空に漂うことなのかもしれない。

『逝年』は、重いテーマをいくつも抱えている。

ひとつは、リョウの最愛の女性であり、「ル・クラブ・パッション」の創設者でもある御堂静香をある意味、死に至らしめる行為と、それに対する赦《ゆる》しということについて。通報の一件は、前作『娼年』に描かれている。また静香の死に関しては、本書の最初のほうで読者に知らされる。その死の詳細はわからないが、彼女が遠からず亡くなることだけは知ったうえで物語を読んでいくことになるわけだ。

この「予告された死」がひとつひとつのエピソードに繊細な陰影をつけることになる。甘い書き手がやると、センチメンタルなだけで効果があがらない。ぴんと張った弦のように緊張感が持続しなくては、心を打ついい音色は出ない。たいへんな技なのだ。

メグミの警察への通報という行為をリョウは当初、とうてい受け入れられない。彼のモラルは表面的なただしさとは別なところにあるからだ。メグミのほうも自分のモラルの中で、組織売春という行為を許せず（そこには、リョウへの私情もからんでいたと思うが）、だからこそ通報した。初めは排除しあうだけだったふたりが、『逝年』では、メグミの歩み寄りで、その関係は変化していく。メグミはこんなふうに言う。

「欲望の世界とこちらのただしい世界。わたしにはむこう側の世界は決して理解できないのかな。理解できないものを、ただ破壊するだけでいいのかな」

それは世界中で起きていることだった。ぼくたちは自分たちと異質な者を攻撃し排除する。永遠に続く、命がけの間違い探しだ。

昔も今も世界中で起きている宗教戦争などは、まさしく「理解できないもの、異質なものを破壊する」という争いではないか。信じるという行為は、いつ狂信へと転じるかわからない。メグミはその危険さを感じとったのだろう。御堂静香に言わせれば、「人間は探しているものしか見つけない」のだ。別な景色を見るには、自分の視野が限られたものであることにまず気づかないとならない。

それにしても、メグミが自分と違うものを「理解しよう」と努めるのはいいとしても、自分を害した者の歩み寄りを御堂静香はどのように許容したのだろうか。その境地に至るまでには、それこそ命がけの自問自答が繰り返されたに違いない。年齢による成熟のなせるわざだけではないはずだ。そのあたりの心の葛藤はあまり露骨には書きこまれていない。読者は想像をめぐらせることでのみ、彼女の内面にふれる。

異質な者同士のぶつかりあいと言えば、アユムというトランスジェンダーのコールボーイと父親との関係も典型的だろう。アユムは身体は女性に生まれついたものの心は男性。性の境を越える形で生きているが、それは本人の意思とは関係がない。父親にとって目に見える男女の境界が越えがたいものである以上に、アユムにとっては自分を女性の側に閉じこめる肉体という境界とは、どうしても折り合いがつかない。わたしたちは「普通」という語をなにげなく使ってしまうが、この「普通」という概念にひそむ無意識の排他性ほど凶暴なものはない。リョウはそれをよくわかっている。それだけでなく、彼はあらゆるものがともすれば忽《たちま》ちひっくり返ったり、裏返ったりすることを本能的に知っているようだ。生と死が、境をつねに接していることも。以下のくだりは、彼の心の奥深くにある静かな、そして決してネガティブではない諦念をよく表しているだろう。

その人がゆっくりと生の世界を離れ、死に近づいていく。それを数カ月にもわたり、手の届く距離で見つめていたのだ。ぼくは死の秘密を見つけた。それはとても単純なことだった。死は恐るべきものではなく、ぼくたちのすぐそばにあるとても親しいものだ。音もなく降る春の雨の最初のひと滴《しずく》や眠っている頬に滑る愛《いと》しい人の指先のように、優しくよろこばしく、人の心をそっと慰めてくれるものなのだ。
彼女の「死」をともに生きたことで、ぼくは以前よりもずっと強くなった。別に急ぐつもりはないけれど、いつかそのときがきても、久しぶりに会う友人のように死を迎えられると思う……

人は自分で自分の死を「経験」することはできない。死を認識する意識をすでに失っているからだ。死というのは、つねに他人のものか未知のものでしかない。そして他人の生き死にを理解するには、言葉を必要とする。「言葉で書かれたものはすべてフィクションだ！」と言った有名な作家がいるが、ものごとは言葉で表現したとたん物語化する。人は死をドラマとしてしかとらえられないことになる。御堂静香の死に際には、「辞世の言葉はなかった。悲しいフィナーレも、センチメンタルな音楽も、効果音やスモークもなかった」とリョウは言う。「人はただ花が枯れ、虫が地に落ち、肉が腐るように死んでいく」のだと。そう淡々と語る彼の言葉すらも、死をめぐる物語の一部だ。御堂静香とリョウの最期の交わりが、最高度にドラマチックに執り行われるのは、彼らがその真実をよく知っているからに違いない。

リョウは最後に「人は死なない。ただ消え去るだけだ」と言う。これは「死は無に帰することではない」と言い換えられるだろう。死＝無ではなく、死者は生者の中にありつづけることを、人間は古代からあらゆる文学や哲学の中で語り、それを証そうとしてきた。『逝年』もそのことをまっすぐに信じる、生と死という双子のドラマなのだ。

初出　「小説すばる」二〇〇六年十一月号〜二〇〇七年十月号

この作品は、二〇〇八年三月、集英社より刊行されました。

石田衣良の本

娼《しょう》年《ねん》

虚ろな日々を送る大学生のリョウは、ボーイズクラブのオーナー御堂静香と出会い、娼夫となる。様々な女性が抱く欲望の深奥を見つめた20歳の夏を鮮烈に描き出す恋愛小説。

石田衣良の本

スローグッドバイ

失恋して心を閉ざした女の子、セックスレスに悩む女性、コールガールに思いを寄せる男性など、「恋する人たち」をやさしい視点で描いた10編の物語。著者初の恋愛短編集。

集英社文庫

石田衣良の本

1ポンドの悲しみ

本好きな人にしか恋ができないOL、夫以外の男性にときめく妻、いつ同棲が終わってもいいように準備をしているカップル——。女性の切ない恋愛模様を描いた傑作短編集。

集英社文庫

石田衣良の本

愛がいない部屋

DV、セックスレス、出会い系サイト。大人の恋愛は光に満ちたものばかりではない。それでも人は誰かを好きになり、前を向いて歩いていく。高層マンションを舞台にした恋愛小説集。

集英社文庫

集英社文庫

逝《せい》　年《ねん》

2011年5月25日　第1刷
2018年4月17日　第9刷

定価はカバーに表示してあります。

著　者　石田衣良《いしだいら》
発行者　村田登志江
発行所　株式会社　集英社
東京都千代田区一ツ橋2-5-10　〒101-8050
電話　【編集部】03-3230-6095
【読者係】03-3230-6080
【販売部】03-3230-6393（書店専用）

印　刷　凸版印刷株式会社
製　本　加藤製本株式会社

フォーマットデザイン　アリヤマデザインストア　　マークデザイン　居山浩二

ISBN978-4-08-746695-9 C0193